Kindle　note　ブログ　SNS に効く！

手堅く月10万稼ぐコツ

ぼくが失敗から学んだネット副業術

ミツ 著

How to get money by Net side job I learned from mistakes

大和出版

はじめに　――たくさん失敗したからこそ、伝えられるものがある

きっとヘンな本だと思います。

だって、巷にあふれる「副業本」と言えば、どれもきらびやかで派手じゃないですか。「月収100万までの道！」とか、「Twitterマネタイズで無双する！」とかなんとか。

最初にお断りいたします。本書も副業本に違いはないのですが、「これをするだけで絶対稼げる！　大儲けできる！　FIREできる！」というものではありません。

副業を始めて2年ちょっとのぼくの、これまでさんざんやらかしてきた失敗を踏まえながら、どうすれば少しでも稼ぐ確率を上げることができるのか、どうすればお金と時間をムダにせず、成果を出し続けられるのかをお伝えしていく本になります。

まず、この本で扱う「ネット副業」の定義についてご説明しましょう。

それはKindleやnote、ブログにYouTube、または音声配信ができるスタンドエフエムや、知識共有プラットフォームのBrainなど、主にネットを使って、自分が作った記事・原稿・動画のようなコンテンツで収益を上げる副業を指します。

ぼくは今挙げたすべてに挑戦してきました。結果的に収益源としてKindle出版とBrainが残り、去年なんとか月収10万を超えることができました。それでも、ここまで辿りつくのに、思い出すのも恥ずかしい失敗をたくさんしてきました。

本書では、我ながらアホだな……という失敗も赤裸々にお話ししますし、そこに紐づいた「副業初心者が陥りやすい落とし穴」についても解説していきます。

これから副業を始めようとされている方にとっては、転ばぬ先の杖となり、すでに始めてはいるけれど、まだまだ結果には結びついていないという人には、自己検証とコンテンツ作りのヒントが得られる1冊となっています。

この本は、次のような方々に向けた内容になっています。

- **ネット副業に挑戦したいが、なにから始めればいいのかわからない人**
- **ネット副業を続けていくうえで、陥りがちな失敗を把握したい人**
- **今まさにコンテンツを作ろうと意気込んでいる人**
- **SNS（主にTwitter）をマーケティングに活用したい人**
- **ユーザーを引きつけるライティングの技術を学びたい人**

今挙げた読者層を見て、「あ、わたしだ」と思ったあなたには、必ず刺さる内容です。

ぼくが2年以上かけて失敗しながら学んだことを、洗いざらい書きますので、どうかご自身の血肉にして欲しいと思っています。

この後の第1章で改めて自己紹介をしますが、ぼくは元々、放送作家でした。

たくさんの人との出会いと学びに恵まれ、テレビ朝日の「報道ステーション」を担当させていただいたこともあります（2004年〜2015年）。

元テレビマンということで、せっかくですからこの本の内容を、新聞のラテ（ラジオ・テレビ）欄風にザーーッと紹介してみましょう。

「そうなの⁉　いいコンテンツが売れるとは限らない！」

「恐怖！　ノウハウゾンビになるな！」

第1章では、ぼくがネット副業でやらかしてきた恥ずかしい失敗の数々。それをまるっとご紹介します。ここを踏まえるだけでも、いいスタートが切れるはずです。

「驚愕！　コンプレックスだって武器になる！」

「あやうく70万円をドブに……恐怖の副業詐欺体験！」

第2章は、具体的にどのようにネット副業を始めていくか。「自分を掘り下げる」ことについて解説します。

これはどんな副業を始めるにあたっても大切な作業です。コンテンツの素となるネタはどう探すのか、それをこの章で見極めていきましょう。

「いいねゼロ！　〝知らんがなリツイート〟は控えましょう」

「これって常識？　Twitterはゲームと同じです」

第3章は、ネット副業をするうえで重要な「SNSの活用法」について。

SNS、特にTwitterは重要な拡散ツールです。これを整えずして、ネット副業を前に進めることはできません。アカウントの下準備から、日々の発信内容、フォロワー数についての考え方、やらないほうがイイTwitter作法についてもお伝えします。

「オールラウンダーを目指したって意味がない⁉」

「衝撃！　ソープ嬢の書いたKindle本が、月1万円を稼ぎ続ける！」

失敗を踏まえ、自己分析を踏まえ、発信の軸を決める。ここまでたどり着いたら、いよいよ第4章で「コンテンツの作り方」について解説いたします。

本書の核となるパートです。あらゆるデジタルコンテンツを作る際に役立つ情報と、作るコツについてお話しします。

「読者の〝滑落〟を防ぐ㊙テクニックを完全公開！」

「こ、これが半角スペースの威力なのか……！」

第5章では、ネット副業に必要なライティングスキルを紹介します。

たくさんのクリエーターで飽和しているネット市場。そんな中でぼくたち無名クリエーターの文章はどうすれば読んでもらえるのか。ちょっと他にはない文章術です。

「〝とりあえずやる〟、これが第一人者への道！」
「知っていますか？　ネット副業は個人戦じゃなく〝チーム戦〟なんです」

第6章はこれまでの総まとめとして、ネット副業を継続していくうえでの大切な「マインドセット」をつまびらかにしていきます。

副業においても、根幹となるのはメンタルです。そのメンタルを日々どう整えるのか、どんな心持ちで歩いていくのか、心の基盤についてお伝えします。

いかがでしょう。ちょっと扇情的に紹介してしまいましたが、興味が湧く内容はあったでしょうか。

ぜひ本書を読んで、こんな劇的なビフォーアフターを期待しています。

読む前（ビフォー）が、「Twitterアカウントもない、コンテンツなんて知らない&自分で作れると思っていない、ラクして稼げるならやりたい、自分で考えない。

読んだ後（アフター）が、「Twitterアカウントを作り自信を持って運用できる、コンテンツの種が見つかり作り出す、ラクして稼げないことを知り、地道にコツコツ努力を積み重ねる。自分で考えて胸を張って人生を歩ける。

……エラそうに言っておきながら、かくいうぼくもまだまだ道半ばです。引き続き自分と向き合い、Twitterでの発信に取り組み、ライティングを磨き、たまには息抜きをしながら（肩に力を入れっぱなしだと疲れますからね）、コツコツとコンテンツを作って生きていきたいと思っています。

先ほども書きましたが、この後の第1章では、ぼくがどんな道のりを経て、ネットを使った副業に注力してきたのか。改めて自己紹介もさせて頂きます。どうか最後までお付き合いいただければ幸いです。

そして、ぼくの失敗をぜひ大いに笑ってください。笑った後で、なにがしかを学んでいただければ、これほど嬉しいことはありません。

最後まで飽きずに、「おわりに」でもお会いできることを切に願っております。

ミツ

ぼくが失敗から学んだネット副業術　目次

第1章

どん底だったぼくが、さんざん失敗してきたこと

第2章

「自分を掘り下げる」からこそ、進むべき道が見えてくる

第3章

ネット副業で結果を出す人は、SNSをおろそかにしない

第4章 さぁ、あなただけのコンテンツをリリースしよう

第5章

ライティングを制する者はネット副業を制する

第6章

ネット副業を継続するために一番大切なこと

DTP：白石知美・安田浩也
イラスト：山口歩

第1章

どん底だったぼくが、さんざん失敗してきたこと

本業では得られないものが、ネット副業にはあった

改めて自己紹介をさせていただきます。

Kindle作家・コンテンツクリエーターをしているミツと申します。

これまで20冊以上のKindle本を出版、Brain教材（有料の情報コンテンツ）も5本リリースしました。

Kindle本では8冊ほどベストセラーを作り、Brainでも人気の教材は販売数200を超えるものを2つ作ることができました。

ミスターこと、長嶋茂雄さんが現役を引退した翌年、1975年に千葉県外房の港町で生まれました。地元の高校を卒業後、ゲーム系の専門学校を経て、1996年、古舘伊知郎氏が所属する「古舘プロジェクト」に入り、放送作家として20年以上、テレビ・ラジオの制作現場で働いてきました。

最初にお話しした通り、一時は「報道ステーション」も担当させていただきましたが、自分の能力に限界を感じたことと、やる気の低下により番組を離れます。

さあ、そこからが地獄の始まりです。

仕事が減ったことで自己肯定感も急落、２０１８年の夏、セミの声を聴きながら引きこもってネトフリでアニメを貪るように見ていたら不眠症に一直線。

気づけば、ぼくはうつになりました。

その後、うつ病からようやく回復したぼくが思ったのは、「このままじゃダメだ」ということでした。

なぜそう思ったのか。もう少し詳しく書きます。

ぼくが長年やってきた放送作家という仕事は、典型的なフロー型の仕事です。フロー型とは「一度サービスを売れば終了するビジネス」です。放送作家であれば、番組制作に関わり、オンエア（放送）されれば担当回のギャラが支払われます。

……ということはつまり、仕事を休んだり、番組が終了したり、クビになった時点で収入がゼロになります。これは他の業界から見ると異常なことなのですが、ごく一部の例外を除き、放送作家の仕事に契約書は存在しません。

口約束で番組を請け負い、ギャラも決まり、仕事をします。契約書がありませんから、例えば番組出演者が不祥事を起こして突然その番組が終了しても、補償などは一切ありません。

我ながらこんな仕事を、よくもまあ20年以上やったものです。

脚本家と放送作家を混同する方もいるのですが、まったくの別業種です。

脚本家は担当したドラマが再放送されたり、DVDやブルーレイなどが売れれば、収入を得られます。作品が「自分のアーカイブ」になっているのです。

放送作家にそれはありません。オンエアしてその分のギャラをもらったら、その後はビタ一文入ってこないのです。

20年以上やってきた仕事がなに1つ自分の財産にならないというのは、改めて考えると恐怖でした。

アーカイブを作らなければ、コンテンツを作らなければ……。

そんな強い危機感を持って、長いこと適当に運用していたTwitterにも真剣に取り組み始め、同時にネットを使った副業も始めたのです。

２０２０年から始めた主な副業は４つ。

❶ブログ
❷YouTube
❸スタンドエフエム（音声配信）
❹フードデリバリー

❶から❸を先行して始めてみました。フードデリバリーを始めたのはそのだいぶ後の、年末の押し迫った時です。どうしてそんなグズグズしていたのか？

人目につくのが、ちょっと恥ずかしかったんですね。

もともと自転車に乗るのは好きでした。コロナ禍になって街中を走る配達員の姿をよく目にするようになりました。それでもやっぱり、恥ずかしかったんです。

しかし、最初に始めた３つの副業はどれもこれもうまくいかず、ただただ時間とお金がなくなっていきます。この辺りの詳しいてん末はこの後書こうと思いますので、なんというかその……笑ってやってください。

……で、２０２０年の12月、大晦日を目の前にしたある日、こう思いました。

「いつまでウダウダやっとんねん。さっさと自転車乗って、走らんかいボケ」

ぼくは関西人ではありませんが、自分を叱咤する時、なぜか口調が関西弁になります。理由はよくわかりません。

自分で自分の背中を蹴飛ばし、思い切って玄関扉を開けます。

「どうかマンションの住人と会いませんように」と念じながら、自転車にまたがり、家を出ました。


初日の稼ぎはせいぜい、４０００円ぐらいだったと記憶しています。

それでも嬉しかったですね。だってブログだって、YouTubeだって、音声配信だってほとんどお金にならず、出ていくのは勉強や機材に使ったお金と時間だけですから。

確かにフードデリバリーの仕事は、自分の時間を切り売りしてお金をもらう、フロー型の副業です。

それでもやった分だけお金がもらえるのは素直に嬉しかったです。

しかもそのお金は固定給ではなく、自分の工夫次第で収入を伸ばせる〝余白〟がありました。それにゲーム感覚なところもあるんですよ。○○なエリアだと注文が入らなかった、それなら□□に移動してみよう。夜の時間、△△病院の近くだと夜勤担当の先生から結構注文が入っておいしいぞ……とか。

もともとRPGとかゲームが好きでしたから、あっという間にのめり込みます。当時はTwitterでも、よくフードデリバリーの発信をしていました。

でもいいことばかりじゃありません。夜間、無灯火の自転車に横から追突されそうになったこともあります。雨の日の配達で盛大に転んだこともありますし、めちゃくちゃな幅寄せをしてくるタクシーと接触しそうになったこともあります。どんなに平和な日でも、1日、2~3回は命の危険を感じる瞬間があるんです。

そういう時は「配達員って肩身が狭いなあ」と思うこともあります。

交通マナーの悪い配達員がいるのも事実なので、仕方がない部分もあります。それにしても、トホホって感じです。

そうして、しばらくはなにも考えずにフードデリバリーをしていました。でもやがて、こんな風に思うようになります。

フードデリバリーだけじゃダメだ……。


これもフロー型の仕事ですから、配達をしなければ収入はゼロです。

放送作家時代に抱いた不安を根本から打ち消す副業ではないのです。

なにか、なにか作らなくては……。

そう思って力を入れ始めたのがKindle出版などのコンテンツ作りです。

ブログやYouTubeや音声配信もコンテンツには違いありませんが、今にして思えば「ヘタくそなやりかた」でした。その辺りのことも、この後隠すことなく書いてまいります。

ネット副業をするうえで、覚えておいてほしいこと

改めて振り返ると、「お前、なんでこんな失敗した？」と自分を突っ込みたくなるものばかりです。たくさんの時間とお金を失いました。お金は働けばある程度は取り返しもつきますが、時間だけは取り返しがつきません。

2年。

フードデリバリーを除いたデジタルコンテンツ（KindleやBrain）で月10万円稼ぐまでの時間です。これは決して早いわけじゃありませんし、特別多い額でもありません。ぼくより短期間で、ぼくをはるかに上回る結果を出す人もいます。

そんな人を横目で見ながら、うらやましいと思ったことも一度や二度ではありません。情けないことに、嫉妬だってしてしまいました。

それでもなんとかここまでたどり着けたのは、失敗をただの失敗として捉えず、考

え続け試行錯誤を繰り返してきたからです。

パスカルも言いました。
「人間は考える葦である」

シンプルな話です。失敗する↓原因を探る↓作り直す↓再挑戦する↓失敗する↓原因を探る↓作り直す↓再挑戦する。これを淡々とできる人が最終的に成功します。

その結果、お金と自由な時間と……
なにより力強く生きる自信が手に入ります。

現状、ぼくが一番コミットしているのがKindle出版やBrain教材などのデジタルコンテンツ作りになります。
Kindleは Amazonがプラットフォームの「電子書籍市場」です。2021年頃から副業としてブームになり、毎日どこかで個人のKindle作家が生まれています。

Brainは自分が持っている知識やノウハウを有料販売し、収益化することができる知識共有プラットフォームです。アフィリエイト機能が強力で、２０２１年頃から副業勢の中でブームになりました。コンテンツは玉石混交、いいものもありますが、質の悪いものもまだまだ多いです。

そして、ぼくが特にコミットしているのはKindle出版。

……ということで、この本の中では、「Kindle出版」を例に使って説明することが多くなりますことをご了承ください。

とはいえ、考え方、正しい努力の仕方、成功へのアプローチの仕方は、他のいろんなネット副業にも流用することが可能です。

第1章以降、ぼくが書いていく話を「へ～そうなんだ」で終わらせず、自分のやっている副業、これからやろうと思っている副業に当てはめて〝考える〟。そしてなにより〝実践〟することが大事です。

いきなりコンテンツを作ろう！　……なんてことは言いません。

コンテンツは、大げさでもなんでもなく「家」を作ることと同じぐらい大変なことだからです。

なにもないさら地の上にポンと建物（コンテンツ）を置いてもダメなんです。ちょっと風が吹けば倒れてしまいます。「基礎工事」が必要なのです。

もちろん家自体も大事です。材料をどう選んで、どんな順番で、どう組み合わせていくのか、優先順位はなにか、捨てるべき作業や行程はなにか。それを考えずにやると、いつまでたっても家が完成しません。たとえ完成したとしても、どこかいびつでグラグラしてしまいます。

おそらく今の時点では、ほとんどの読者がピンとこないかもしれません。

でもこの後、第2章、第3章と階段を上るように読み進めていただくと、目の前の霧が晴れるように、「基礎工事」「材料の選び方」「組み立てる順番」「外注する部分」など、「家（コンテンツ）の作り方」が少しずつわかってきます。

ご自分でも考えを深めながら、どうか最後までページをめくっていってください。

ぼくがやらかした失敗の数々

ここからは、ぼくがこれまでやりちらかした失敗の数々をご覧いただきます。いきなりSNSを始めても、いきなりコンテンツを作り出しても、間違いなく失敗します。その前に押さえておくべきことが結構あります。

ここでは、副業における基礎工事をやらないと、どんな痛い目にあうか？「あらあら、まあまあ……」と、笑いながらお読みいただけたら嬉しいです。なお、ここから数ページは、続く第2章以降への〝種まき〟になっています。話の節々に「第3章で詳しく」といった具合に導きます。

読み進めながら、気になる章を見つけていただけると嬉しいです。気になる＝「あなたのつまずく原因」という意識で読むと、読書の効果が上がります。

ぼくの失敗 1

流行に流されるまま副業を始める

あなたは一体何者か？

この問いにスパッと答えられる方、どのくらいいるでしょうか。

この質問に答えられないまま副業を始めてしまうと、なにをやってもうまくいかないことが多いです。たまたまうまくいっても長続きしません。

エラそうに言っていますが、ぼくだってそうでした。

自分の「掘り下げ」をしないまま、「副業GO！」って人、かなり多いです。

例えば、「アフィリエイトは儲かる」「YouTubeは儲かる」「ブログは儲かる」。

この、「○○は儲かる」という言葉に踊らされると高確率で失敗します。

この失敗で学んだことは、**「コンテンツを作る前に自分の掘り下げが大事」**（第2章で解説）ということ。

自分が得意なことはなんなのか、続けて苦じゃないことはなんなのか。

安直に流行に乗っかっても、行き詰まることが多い。

そうしたことを副業を始める前に把握しておくことは、あなたが思っている以上に重要です。

それをせずに、ぼくは散々遠回りをしてきました。あなたにも同じ失敗はしてほしくないのです。

ぼくの失敗 2

「自分が好きならみんなも好き」だと勘違いする

「好きなことで稼ぐ」

やれ、風の時代だ、副業時代だなんて言われた時に、よく耳にした言葉です。

この言葉の正しい解釈は（今さらぼくが言うまでもないことですが）こうです。

「（視聴者、読者が）好きなことで稼ぐ」

この失敗はぼくもやらかしました。

前述の通りぼくは自転車が好きなので、配達以外にもよく乗ります。

「この趣味を生かして、YouTube動画を作れば人気出るんじゃね？」と、そんな風に浅はかに考えて、サイクリング動画を何本か作りました。

我ながら泣きたくなるような、しょうもない動画です（泣）

好きだからこそ時間をかけて、結果が出ずがっかり……なんてことも。

「自転車で道の駅まで走って小さな旅を作ろう」とか、

「千葉県の有名なから揚げそばを自転車に乗って食べに行こう」とか。

動画自体は一生懸命作りましたが、全然再生数が伸びない……。

だってそうですよね。内容を聞いたところで「見たい！」ってなる人はほとんどいないんじゃないでしょうか。動画作成に使った時間、機材、編集ソフト、すべてがムダになりました。

繰り返しますが、考えるべきは視聴者・読者がなにを見たいか、知りたいかです。

ぼくの失敗 3

なにも考えずに高い目標を掲げる

Twitterを見ていてよく目にするのは、「20代にして月収100万！」「わずか1カ月でフォロワー1万人到達！」「企業案件が止まりません！」みたいなキラキラしたツイートです。「よし！　自分も！」なんて頑張りますが、全然うまくいかず、テンションがガタ落ちになる――。

最初のうちにハッキリお伝えしたいことがあります。

副業を成功させるには、ある程度の時間が必要だということです。

最初は100円稼ぐのだって大変です。そこから500円、1000円、5000円、1万円、3万円、5万円、10万円……と、少しずつ上げていくしかないのです。

ぼくがコミットしているKindle出版もそんな感じでした。初めて出版した本なんて、数カ月誰からも読まれず、収益なんてず――っと0円でしたから。

それでも文章を書くことが好きだったから、続けました。その結果、少しずつ読まれるようになり、月によって多少のばらつきはありますが、5万から7万ぐらいの収益にまで成長したのです。Kindle出版を始めたのは2021年の1月頃ですから、冒頭でお伝えした通り、ここまでくるのに2年近くかかったことになります。

もう1つお伝えしたいことがあって、それは「本当にそれだけのお金を稼ぐ必要があるのかどうか？」ということです。確かに月収100万あればラクな暮らしができるでしょう。でも例えば、あなたの住みたい、または住んでいる場所が地方都市であるなら、そこまでお金は必要じゃないですよね。

人が幸せに感じる金額というのは、その人の人生によって違うハズです。やみくもに副業を始める前に、ぜひ人生の目的地とそれに必要なコストを冷静に考えてみてください。今の給料に加えて、月収3万ほどでいいなら、フードデリバリーを週に1回やれば、確実に稼げますから。

やみくもに月収100万とか目指さないで、今一度自分の人生について考えてみてください。

ぼくの失敗 4

信頼される前にアフィリエイトする

アフィリエイトとは、自分の紹介で商品が売れた際に、自分にもキックバックが入るという手法です。よくあるパターンとしては、自分のブログに商品のURLを貼りつけて、そのリンクを踏んでお客さんが買い物すると、収益が入るという流れです。

この手法の優れているところは「自分で商品を持たなくていい」ということ。

ということでぼくも作ったんです、世にも恥ずかしい高級時計ブログを……。

どういうブログかというと、「高級時計は持っておくと今後ドンドン値上がりして将来資産になりますよ～！　だから投資だと思って1本持っておきましょう！」――。

と、まぁこんな感じです。……で、1本数十万から数百万する高級時計のリンクをベタベタとブログに貼ったわけです。

これが、まぁー売れない！

そりゃそうです。時計が好きなのは本当で、以前、買った機械式時計を何本か持っています。でも、SNSでは時計に関する発信はしていませんし、普段使っているのはG-SHOCKです。そんな人が紹介した高級時計、誰が欲しがるでしょうか。

ブログに訪れる、商品を見て、買う。これは恋愛にも似ています。

ぼくがやろうとしたのは、初めてのデートで会っていきなり、「ホテルいかない？」って言ったのと同じなんですよ。だってそうじゃないですか、数十万、数百万なんて時計、よっぽどの信頼がないとお金を出そうなんて思いませんから。

ここから学んだことは２つ。

「普段の発信の先にコンテンツはあるべき」（第３章で解説）と、**「自分のコンテンツは持つべき」**（第４章で解説）ということ。

いつまでもアフィリエイトに頼っていると、その商品がなくなった時に、収入が一気に途絶えるなんてことも起こります。ブログをやっていると、よくあるんですよ。「このサービスは停止しましたので、我が社のリンクは削除してください」とか。

その点、Kindle本はAmazonが倒産でもしない限りは問題ありません。

たとえそうなったとしても、原稿データは手元にあるわけですから、丸々ゼロになるわけじゃありません。

ぼくの失敗 5

複数の副業を同時進行する

これは一番ヒドイ時ですが、1日のうちに、YouTube動画を作って……Kindle本の原稿書いて……音声配信やって……note記事を書いて……という具合に、4つぐらいのタスクを同時に進めていたことがあります。

（noteは主に文章をメインにした記事コンテンツを、誰でも手軽に発信・共有できるサービスです。記事の有料販売もできるので副業として使っている方も多いです）

当たり前ですが、それぞれちょっとずつやるので作業の進みが悪いです。

よくTwitterで見かける、「今日の積み上げ」というツイートでも、やたらといろんなことを同時にやっている人がいて、リプ欄に「今日もすごいですね〜！」なんてついていたりするんですが、人間のリソース（能力や時間）は限られています。

1日のうちでやることはせいぜい、2つぐらいに絞って、メインに飽きたらサブをやる、というぐらいにしたほうがいいです。

マルチタスクで効率は上がらない。地道に取り組もう。

ぼくの場合も基本的にやることは1つか2つにして、作業に飽きたら気分転換に自転車に乗ってご飯を食べに行ったり、近所を1時間ぐらいグルっと走ってきます。

すると不思議にアイディアが浮かんで、帰宅後、「またやろうか！」という気持ちになります。

特に最初の頃は、勇んでなんにでも手を出しがちです。

マルチタスクにせず、**シングルタスクで成果物のクオリティを上げることに集中する**といいでしょう。

ぼくの失敗 6 SNS（Twitter）で自分の宣伝ばかりする

これはぼくがKindle出版で自分の本を作り始めた頃の話です。

ついついやっちゃうんですよ。


「新しいKindle本を出しました！　読んでください！」

他のネット副業でも、

「新しい動画作りました！　見てください！」

「新しくブログ記事書きました！　読んでください」


こればっかりやっていると、見ている人は疲れちゃいますよね。

だってイヤじゃないですか。「セールスばっかりしているセールスマン」って。


他に、こんな失敗もしました。

熱心な告知・宣伝が必ずしも売り上げにつながるとは限らない。

「発信の軸がブレブレ」
「フォロワー獲得に躍起になる」
「実社会の実績を持ち込む」などなど。

この辺り、「Twitterまわりの話については、お伝えしたいことが多すぎて、ここですべて書くことができません。

第3章でまとめて詳しく解説いたします。

ぼくの失敗 7 気づけばノウハウコレクターになっている

これはぼくに限らず、副業勢でやらかす人が多いです。

今は電子書籍、動画、音声など、さまざまなデジタルコンテンツがワンコインから買えます。そこには魅力的なノウハウがキラキラと輝いています。「Twitterフォロワーの爆伸ばし法！」「〇〇転売で1日10万稼ぐ！」みたいなコンテンツもよく見かけます。

価格が安かったりするので、ついつい買ってしまいますが、どれだけ有用なものだとしても、**あなたの悩みはコンテンツを〝買って〟も解決はしません。**

また、買って読んでみても解決はしません。もう一歩先、買って読んでしっかり学習して、試しにやってみる。さらに試したうえで失敗したこと、成功したこと、自分なりに工夫したこと、それらを材料にして自分だけのものにしていく。

そうすることで初めて前に進みます。これがなにより大事というか、すべてです。

ノウハウは実践して継続して、自分のものにしなければ意味がない。

買って読んで終わりにして実践を怠ってしまうと、「もっといいノウハウはないのか～」と新しいノウハウを追い続けるノウハウコレクターになります。

そしてなにも考えないままコレクターを続けていくと、やがて「ノウハウゾンビ」になり果ててしまいます。

第1章のまとめ

- 自分を掘り下げずに副業を始めるのは遠回り
- 自分の「好き」を相手に押しつけない
- 幸せになるのに必要なお金がいくらか把握する
- アフィリエイトには限界がある、コンテンツ持ちになろう
- マルチタスクは捨ててシングルタスクへ
- 情報を買って満足しない

この辺りのことを頭に入れて、先を進んでいきましょう。

第2章では、ネット副業の根幹と言える「自分の掘り下げ」について筆を費やしました。ある意味、最重要パートですので、噛んで含めるようにお読みください。

第2章

「自分を掘り下げる」からこそ、進むべき道が見えてくる

ノウハウを検索する前に、時間を割いてほしいこと

副業を始める前に、なぜ自分を掘り下げる必要があるのか？

これをやらずに副業を始めてしまうと、自分に合った副業を見つけることが難しくなるからです。孫子の兵法にも有名な言葉がありますよね。

「彼（敵）を知り、己を知れば百戦あやうからず」

敵も味方も情勢をしっかり把握していれば、何回戦っても敗れることはないという教えです。これは副業も同じです。……ということで、次の質問について真剣に考えてみてください。

Q：あなたが好きなこと、得意なことはなんですか？

……しかしながら、こういうのって結構めんどくさいし、読みながらやる人なん

て、ほぼいませんよね。かくいうぼくだって、多分やらないと思います。

そこで、まずはぼくの答えを書いていきます。考える参考にしていただければ幸いです。


A：小学校の頃から本を読むのが好きで、小難しい言葉や言い回しに憧れていました。漠然と作家になりたいと思っていたので、放送作家になれた時は嬉しく、仕事上、ずーっと文章を書いてきたためライティングが得意です。

放送作家の仕事は台本にせよ、VTRのナレーションにせよ、難しい文章よりは短くてわかりやすい文章が求められます。20年以上そんなことをやってきたので「わかりやすい文章」が得意になりました。

加えて感動系のエンタメ作品（漫画、アニメ、小説、映画、ドラマ）が好きでしたので、人の心を動かす文章にも定評があります。ぼくのKindle本を読んだ人は、結構な割合で「感動した」「泣いた」とおっしゃってくださいます。

あとこれは最近わかったことですが、「声がいい」そうです。と、言いますのも、ぼくはスタンドエフエムというアプリで2年以上、音声配信をやっています。簡単に言えば「1人ラジオ」ですね。最初は特に収益もなく、テンションも上がりませんでしたが、半ば意地で続けた結果、トークがうまくなりました。最近では聞いてくれる方も増えて、時々、声をほめられます。これは後々、武器になるなあと思いました。もともと蓄膿症で手術したものの、今でも鼻炎です。どうしても鼻声になってしまうので、自分の声にはまったく自信がなかったのですが、わからないものですね。実際会った人からも「話しやすい」と言われます。

いかがでしょう。ずいぶん長く答えてしまいました。

整理すると、ぼくの好きなこと・得意なことは、

「本を読む」

「読みやすいライティング」

「人を感動させるライティング」

「声」

……ということになります。で、ぼくがやっているSNS、コンテンツ活動は、

「Twitter」

「Kindle出版」
「Brain」
「スタンドエフエム」

筋が通っていてムリがないですよね。自分の好きなことや得意なことを生かして、発信&コンテンツ作りをやっているのがわかっていただけたと思います。

「親和性」ってやっぱり大事です。

ライティングに自信がないのに、なんだか流行っているからってKindle出版に手を出してもつらいだけです。

その代わりに、人と話すのが好きだったり、相手から「話しやすい」と言ってもらえる人だったら、Zoomを使った電話相談なども立派なコンテンツになります。

続けていれば、人の悩みがストックできますので、解決法と合わせてKindle本にしたり、Brainやnoteなどに落とし込むことも可能でしょう。

「ホント?」って思うかもしれませんけど、ホントです。

悩みと言えば、ぼくの場合は「構成力」にコンプレックスがありました。放送作家時代、ぼくよりうまくVTRを構成する人、スタジオを構成する人が、まわりに山ほどいたんです。だからぼくは自分の構成力についてこんな自己評価をしていました。

いいところ二流、下手すりゃ三流。

でも、テレビ・ラジオ業界から離れて、ネット副業の市場にやってきました。元放送作家なんてほぼいない世界です。当然知り合いもいません。それで当たり前のように、Kindle本を書いたり、コンテンツを作ったりしていたんです。必然、仲間のコンテンツを読むこともあります。その時に思ったんです。

この界隈なら構成力で勝負できる。

特にKindle本は個人の作家がコンテンツをリリースしている世界です。

ごく一部を除いて、皆さんそこまで深く構成に気を配っているわけではありません。別に見下すような意味はありません。個人のKindle作家の多くはプロではないので当たり前です。

そんな普通の会社員だったり主婦の方だったりする人の多くは、少ない時間を捻出して執筆にあてています。構成にまで頭をめぐらす余裕がない、というのが実情でしょう。……というか、完成させるだけでもすごいことなのです。

だからこそ、勝負できると思いました。

曲がりなりにもエンタメの世界でメシを食ってきました。どんな導入なら本が魅力的になるのか、どんな順番でネタを並べればわかりやすくなるのか、そんなことを20年以上考えてきましたから、抜きん出ることができます。

いかがでしょう。自己分析を深くせずに副業を始めてしまうと、自分本来の強みがわからないまま、走り続けることになります。

今一度、自分はなにが好きで、なにが得意だったのか。冒頭のぼくの掘り下げを例に、考えてみてください。

視点を変えれば、コンプレックスも武器になる

繰り返しますが、「声」だってコンプレックスだったんです。鼻声でしたし、大していい声とも思えませんでした。だから最初は「お世辞でそんなことを言ってくれるんだろうな」と思っていました。

それでも、少なくとも覚えている限り、20人ぐらいの人がぼくの声をほめてくれました。声だけは自分では選べません。今では、亡き母からもらった大切なギフトだと思うことにしています。

この本を読んでいるあなたも、お試しで音声配信をやってみるといいですよ。オススメは誰でも無料で始められるスタンドエフエムですね。最初は誰も聞いてくれません。それでも収録を続けていけば、少しずつあなたのことが認知されます。1カ月続ければ、1カ月続けた人として、3カ月続ければ3カ月続けた人として、半年続ければ（以下同文）。

なぜ続けるだけでもどんどん認知されていくのか？

あなたが思っている以上にやめていく人が多いからです。ぼくと同時期に始めて、今も続けている人なんてほとんどいません。

毎日数分でも喋り続けると、どんな人でもトークは上達します。いいねやコメントしてくれる人も現れます。そのコメントの中に「声がいいですね」なんて言葉があったら自信持っちゃってください。

自分にとっては悩みの種だったコンプレックスも、一歩踏み出してみると以外にも広く受け入れられたり、武器として強みになったりということは往々にあります。

ネット副業は新たな挑戦の連続ですから、躊躇せずにまずは一歩踏み出してみるという気持ちも大切です。

また、悩みを抱えていたからこその体験が武器になることもあります。

「背が低いので身長が低い人の苦労がわかります」

「生まれつき地黒なので色黒の人の悩みがわかります」
「一重で悩んできたので、同じ悩みを持つ人の気持ちわかります」
「アトピーに悩んでいたので、同じ悩みを持つ人の気持ちがわかります」

あなたがどうやってコンプレックスを乗り越えたのか、どうコンプレックスと寄り添いながら生きてきたのか。これらのマインドやコツもすべてコンテンツなのです。コンテンツに関する詳しい話は第3章にも書きます。ここではコンプレックスも武器になるということだけ覚えておいてください。

コンテンツの種は、すでに自分の中にある

ぼくもそうでしたが、副業を始めようとすると、みなさん決まってやるのがノウハウを買い漁ること。めっちゃ気持ちわかります。SNSで稼ぐとか、ネットビジネスで稼ぐとか、そんなのわからないことだらけですもんね。

その結果、「〇〇〇の転売方法」だとか、短期間しか稼げない（あるいは旬がすぎて、すでに稼げない）方法に手を出して、時間とお金を失います。

「じゃあ、なにで収益を上げればいいのさ」という方は、こんな経験ないですか？

▽双子を同時に子育てした経験
▽上司からの飲みニケーションを3年間うまく断り続けた方法
▽破綻寸前だった彼女（彼氏）との仲をなんとか回復させたデート術
▽PTAの会長を務めた時に編み出しためんどくさいママ友対応術
▽コンビニやスーパーでPOPを書き続けた経験

▽レジ打ちのバイトで出会った数々のクレーマーたち……

こんなことだって、「どう対処したのか?」「どうやって回避したのか?」というコツがコンテンツになるんです。

ぼく自身Kindle作家なので、その目線での解説になりますが、先ほどの例はすべてKindle本のネタになります。しかも読者も一定数見込めます。だって、どのネタも「知りたい!」って人、きっといますから。

他にもぼくの「声」のように、人からほめられたこと、職場でまわりから頼られたこと、人より少しでもうまくできたこと、これらはすべてあなたの「武器」になります。改めて自分を見つめ直してみてください。

ありふれた特技・趣味を唯一無二にするコツ

あなたが日本酒について人よりも詳しいとしましょう。

でも、ただこれだけでは武器にはなりません。なぜなら、日本酒に詳しい人は日本中にたくさんいるからです。でも、ここに新たな要素を付け加えていきます。

「Twitterに詳しい」

「Instagramに詳しい」

「TikTokに詳しい」

「動画作成に詳しい」

「LINE公式アカウントに詳しい」……などを、掛け合わせていく。


例えば、「日本酒×Twitter×LINE公式アカウント」。

これだけで、あなたの存在がグンと希少になります。酒蔵にあなたみたいな人がいれば、TwitterとLINE公式アカウントを使いながら情報発信できるからです。うまく依頼を受注できたら、無機質になりがちな企業アカウントの「中の人」として、日々お酒に関するツイートをしていく。売り込みだけじゃダメです。日本酒に関する雑学、知識、日本酒を使った美肌風呂みたいな発信もありでしょう。

「この日本酒アカウント面白いな」と思わせたら、LINE公式アカウントに誘導して、登録したら数量限定でお試し日本酒セットプレゼント、といった企画をやる。そして、少しずつ登録者とファンを増やしていく。

それでもすぐにセールスはしない。日々、着々と「中の人」として役立つ日本酒知識をツイートしていく。日本酒を料理に使う時のコツとかもいいですね。

いよいよその年の新作がリリースとなったら、ここで初めてセールスをする。

すべてこの通りにうまくいくとも限りませんが、ホームページもあまり更新せず、商品の宣伝やセールスしかしないSNSアカウントで販促をするよりは、はるかにお客さんの目を引くでしょう。

今は短い動画であれば、プロ顔負けのものを作ることだってできます。

ぼくも自分のKindle本をリリースする時には、20秒ぐらいのティザー（PR動画）を作って、ツイートに貼ったりします。短いからドンドン再生されます。フォロワーが4000人くらいのぼくのアカウントでも、400回ぐらいは再生されるのです。

そんな動画を作って、日本酒の新作ツイートに貼るのもいいでしょう。

技術が日々進歩しているおかげで、ショート動画のようにちょっと前までハードル

既存×既存が強みを見つける基本。

が高いと感じていたことでも、実は簡単にできるようになっているものがたくさんあります。

一昔前はブログの開設にも結構な時間がかかりましたが、今ではちょっと調べればサクッとできてしまいますよね。

「すでに競合がたくさんいるし……」と悩む暇があったら、ちょっとしたプラスアルファのスキルを身につけてしまえばいいのです。

たとえ1つひとつは「既存」でもかけ合わせれば強い。それを忘れないで下さい。

興味のないものに手を出さない

副業を選ぶ時、〝稼げそう〟という目線で選ぶ人も多いですよね。かくいうぼくもそうでした。運よく稼げたならいいですけど、うまくいかなかった場合、高確率で、その副業はやめちゃいます。そしてそこに費やしてきたものがムダになります。

……ということで、あまりに興味がない副業に手を出すのはやめておきましょう。それよりは、たとえ一定期間稼げなくとも〝続けられそう〟と思える副業を選ぶようにしましょう。

ぼくの場合だと、文章を書くことは好きでした。だからこそKindle出版を選びました。Kindle出版も1冊目からヒット作を書く人がたまにいますが、ほとんどの個人作家は1冊だけだとほとんど読まれないし、収益も上がりません。

それでも淡々と2冊目、3冊目、4冊目、5冊目とリリースしていく。この頃から、ようやくまわりに「この人はKindle作家なんだ」と認知され始めます。

ぼくは書きながら漠然と「個人のKindle作家は10冊からがスタート」だと思っていたので、冊数を重ねることはさほど苦ではありませんでした。

10冊を超えた頃、堂々と「Kindle作家」と名乗ってもいい気がしました（これはぼくの感覚ですから、他の方はたとえ1冊でも堂々と名乗って大丈夫ですからね）。

2021年あたりからKindle出版にトライする方が増えました。その流れは、この原稿を書いている2022年になっても衰えず、毎日どこかでKindle作家が産声をあげています。

でも、流行っているからといって、文章を書くのが好きでもないのに始めてしまうと、続きません。たまにTwitterでも、1冊目リリースしたものの、鳴かず飛ばずで、そのままやめてしまう人を見かけます。そんな人を見ると「ああ、結局この人は、文章を書くことは好きではなかったんだろうな……」と思ってしまうのです。

逆にたとえ読まれなくても、淡々と新刊をリリースする人を見ると「この人は本当に文章を書くのが好きなんだろうな」と思って、試しに1冊読んでみよう。なんて気持ちになるものです。

好きなことを淡々と続ける、その姿はまわりから「覚悟のある人間」に見えます。強い覚悟に人はひかれます。だからこそ、あなたが副業を選ぶのであれば、自分が興味を持って、楽しみながら続けられるもの、そして多少結果が出ずとも覚悟を決めて進められる、そんな副業を選ぶことをオススメします。

うまくいかなくても「実験」、トライ&エラーを繰り返そう

かのエジソンはこんな言葉を残しています。

「私は失敗したことがない。ただ、1万通りのうまくいかない方法を見つけただけだ」

失敗すら「うまくいかない方法を見つけた」と捉えて、淡々と次の挑戦を続ける。

これはKindle作家だけでなく、すべてのコンテンツクリエーターにも言えることです。うまくいかなかった本は、いくらいじくり回しても、うまくいかないことが多いです。それよりも、次に書きたいテーマがあるなら、さっさと次の本に取り掛かっ

たほうがいいのです。

野球で例えるなら、打席に立ってとにかくバットを振るということ。

副業を始める（打席に立つ）、そしてコンテンツを作る（バットを振る）。最初から10割打とうとすると、腰がひけてバットを振れません。

あの天才・イチロー選手ですら、最高打率は2000年オリックスにいた頃にマークした、3割8分7厘です。つまり6割以上は凡退しています。超一流ですら、半分以上は失敗なのです。

それを考えたら、**ぼくたちが多少の失敗を恐れていたらなにも始まりません。**

特に最初の頃は、どうしたってコンテンツにもほころびがあります。でもそれを気にして、小さな毛玉でも取るようにチマチマ直していたら、いつまでたっても作品は完成しません。まずはリリースしてみる。たとえ失敗したとしても「ああ、このジャンルにはニーズがなかったんだな、それがわかっただけでも収穫だ」と前向きに捉えて、進みましょう。

そんな失敗がたまれば、それ自体を「ぼくが作った失敗本と原因分析」というコンテンツにすることも可能です。実際、ぼくもそんなKindle本をリリースしましたから。

自分で気づけない強みの発見法

第2章の最後でお伝えしたいことはこれです。

「灯台下暗し」

これってホントによくある話です。自分の武器、強み、あるいは弱点って自分じゃ見えにくいものです。実はすでに手にしている武器に自分では気づけない、なんてことがよくあります。

ぼくで言えば、さっきも書いた「構成力」。テレビ業界にいた頃は、まわりがすごすぎて、自分の武器が武器とは思えませんでした。

「ぼくぐらいの構成力は大したことない」という、過小評価の呪いです。

だからこそ、人に聞くんです。Twitterを始めていない方は、友達、家族、会社の同僚や上司に聞いてみてください。

「わたしの強みってなんだと思う？」

　この時、できるだけ忖度しない人を選ぶといいでしょう。あなたに対して正直に接してくれる人がオススメです。

　ぼくの場合は、信頼するKindle作家さんが教えてくれました。

「なんかちょっと怖い人でした」と。


　そうなんです。うつで苦しんだ反動から2021年頃のぼくはやたらと本音でズケズケ言うキャラクターで、Twitterと Kindle本の活動をしていました。

　本音も程よい加減でしたらOKですが、ぼくの場合少々行き過ぎた部分もあって、一部の人からは嫌われていました。

　それを素直に反省し、2021年の終わり頃から、まわりを気づかう発信に切り替え、かわいらしさを意識しました（このかわいらしく振る舞うコツについては第3章の中で詳しくお話ししますね）。

　その結果、Twitterで絡んでくれる方が増えました。Kindle本のモニター依頼や出版サポート依頼も増えました。

またある時、「Twitter仲間で優秀なコンテンツクリエーターの方が、「わたしの長所ってなんですか？」」と自分のフォロワーさんにストレートに聞いていました。

これはすごく賢いやり方です。コメント欄にはいろんな意見が書かれました。僭越ながらぼくも書かせていただきました。

強みがわかるとともに、回答をきっかけに自分のフォロワーさんと交流も生まれます。**自分の強みを客観的にあぶり出し、交流することで距離感も縮まる。**繰り返しますが、とても賢いやり方です。

人に聞くなんて恥ずかしいかもしれません。でも、それによって自分の武器の形が鮮明になるならやる価値はあります。

用法は完全に違いますが「聞くは一時の恥、聞かぬは一生の恥」って言うじゃありませんか。思い切ってまわりを頼ってください。

第2章のまとめ

- 自分を徹底的に掘り下げる！　そうすれば、コンプレックスも輝き出す
- 武器は掛け合わせてこそ真価を発揮する
- 淡々と続けた先に道は開けていく
- 自分の武器が見つからないなら、第三者に客観的に見てもらおう

自分で思っている以上に、ぼくたちは自分のことがわかっていません。常識、先入観、劣等感を捨てて、輝いているポイントを探してください。

今はたとえ小さい光であっても、それがこの先、あなたの未来を照らします。

この後は、コラムの小休憩を挟みつつ、第3章の「Twitter運用編」へと読み進めてください。

コラム 1

70万円失いかけた……。VRクリエーター事件

2019年の年の瀬、場所は西新宿でした。
Facebook広告で見かけた「VRクリエーター養成案内」。

こんな宣伝文句でした。
「これからVRの時代がくる！
でも優秀なVRクリエーターが少ない！
だからあなたが、先駆者になって稼ぎましょう！」

いかにも怪しいでしょう？　我ながらどうしてこんな案内に釣られてしまったのか。情けなくなりますが、当時のぼくは2018年の夏に発症した、うつから回復したばかり。判断力が鈍っていたんでしょうね。……そう信じたい（汗）

同時に心のどこかに、「ラクして儲けたい」って気持ちがあったんですね。

場所は汚い雑居ビルでした。パイプ椅子が50個ほど並べられた部屋には、すでに数十人の人がいました。年代はやや高め、50~60代、女性の姿もありました。

そして、説明会が始まりました。


20代後半のスーツを着た兄ちゃんが前に出てくると、開口一番言いました。

「皆さんはホント素晴らしい！ 今の段階でVRの可能性に気づくなんて！」

そういって拍手を始めました。その瞬間、ああこりゃダメだ。そう思いました。

その兄ちゃんは、終始綿あめみたいな軽いトーンで進行します。今となっては内容なんてほとんど覚えていません。

なんとか参考になる部分はないかとメモをとろうとするのですが、本当に内容がないのでメモが取れない。持参したノートは真っ白なまま、頭も真っ白になったまま、説明会が終わりました。

「興味を持たれた方は、後ろで養成講座の申し込みをやっておりますので、ぜひご参加ください！」

受講金額はなんと70万円。

ぼくの頭は真っ白、一刻も早くこの場所から出たいと思っていたので受け付け用の机の横を通り過ぎて、エレベーターにそそくさと乗り込みました。

その時、チラッと見ましたが、10人ぐらいの方は申し込んでいましたね。中には60代ぐらいのご婦人もいらっしゃいました……。

ビルの外に出ると、暮れの寒い風が吹きつけます。誰ともなく1人つぶやきました。

「オレ、なにやってんだろ……」

ぼくがやってきた仕事は放送作家です。映像を作ることでもないし、VRになんて興味もありません。新しい技術で、ラクして儲けられそうだったから、そんなどうしようもない理由でやらかした最高に恥ずかしい失敗です。

あの時の情けない気持ちは今でも時々思い出します。あなたにはこんな思いをして欲しくありません。そう思って書いた、ぼくの副業、最大の汚点でした。

第3章

ネット副業で結果を出す人は、SNSをおろそかにしない

フォロワーさんとの交流がコンテンツの可能性を広げる

副業をやる上で、Twitterは欠かせないツールです。まずはこれをしっかり理解しましょう。完全無料で使えるツールとしてTwitterは最強です。

具体的には、こんなことに使います。


「情報収集」

「仲間とつながる」

「コンテンツのＰＲ」


＃（ハッシュタグ）を使ったもので、こんなのを見かけませんか？

「＃ブログ仲間とつながりたい」「＃イラスト好きとつながりたい」とか。

これって要するにみんな仲間・同志を探しているんです。互いに情報収集したり、コンテンツを応援しあったりするワケです。

ぼくもKindle仲間とのつながりは、ほぼTwitterです。朝のツイートにリアクションしあったり、互いの新刊情報を応援しあったりします。

Kindle作家にもいろんな方がいます。金融関係に詳しい人、教育関係に詳しい人（あるいは現役教師）、恋愛関係に詳しい人、SNS関係に詳しい人、そんな人たちが書く本の中には、時として、紙の本以上の価値と学びがあります。

こういう新刊情報はすべてTwitterから得られます。

繰り返しますが、副業をやる上でTwitterは欠かせないツールなのです。

「いいコンテンツは自然に売れる」という誤解

この誤解は、ホントによくある話です。

ぼくも副業を始めた当初、すっかり誤解していました。いいコンテンツを作れば、勝手に売れて収益になるんだと。でも、これは大きな間違いなんです。ぼくが副業を始めた1年目も、伸び悩んだ原因はそこにありました。

いくら自分ではいいと思った商品（Kindle本）を作ったとしても、Twitterをうまく使って拡散しないことには、リリースしたことすら知られずに、埋もれていきます。

特に最近は、いろんな人がコンテンツビジネスを始めています。その多くがTwitterなどSNSを駆使して拡散しているのです。Twitter運用がうまい方のコンテンツは、たくさんの人の目に留まります。そして、実際に手に取った人が感想をツイートしてくれることもあります。

すると、その方のフォロワーさんのTL（タイムライン）に、自分のコンテンツが露出するので、さらに拡散されていきます。たまたま強いアカウントがRT（リツイート）してくれた日には、さらに広く知れ渡っていくのです。

最強なのは、いいコンテンツを作ってTwitterなどのSNSも「ガチる」こと。

この組み合わせが最強です。うまくハマれば、果てしなく拡散されます。

そうするためにも、Twitter運用はしっかりとやるべきなのです。

「掘り下げ」をもとに発信の軸を決める

さてさて、第2章で自分の掘り下げについて書きました。

いかがでしょう？　自分の武器、強み、弱点は把握できたでしょうか？　最初からすべてを把握するのはムリなので、気づいたことは少しずつアップデートしていってくださいませ。かくいうぼくだってそうです。

つい最近も、放送作家時代に培った、番組ゲストをもてなす方法、喜ばせる方法などは「ああ、これもコンテンツになるなあ」と思ったぐらいですから。自分の掘り下げは、この先もずーっと続けたほうがいいです。

ここからは先ほど掘り下げてみたことをもとに、Twitterでどのような活動をしていくのか、軸を決めていきましょう。

Twitterのプロフを作る際、最低限必要な要素は次の4つです。

❶「あなたが何者なのか」
❷「どんな情報を発信するのか」
❸「あなたをフォローするメリット（これは❷にも関わります）」
❹「あなたのコンテンツ」

例えばぼくだと、

❶「月間15万ページ読まれたKindle作家」
❷「書くだけで信頼を積みあげるライティングテクニックを発信」
❸「人の心を動かすツイートやライティングが学べます」
❹「Kindle本やBrain教材が見られるページ」

こんな構成になっています。もし興味がありましたら、@mitsu_kindleで検索して、実際にTwitterアカウントを見ていただければと思います（ちなみにTwitterのプロフはちょこちょこ改訂しているので、この本が出る頃には少し変わっているかもしれません）。

●普通の会社員、主婦はなにをどう打ち出す？

こんな風に思われる方もいるんじゃないかと思います。
そこでこんなパターンはどうか？　という例を挙げてみますね。

会社員の場合

❶「会社で課長になって10年中間管理職のプロ」
❷「新入社員を育てる方法、辞めそうな社員を止めるコツを発信」
❸「苦手な上司をいなすコツも学べます」
❹「今後、中間管理職をテーマにしたKindle本を出版する予定」

主婦の場合

❶「2人の息子のお弁当を12年作り続けたお弁当作りのプロ」
❷「たった10分で作れるお弁当レシピ、残り物を華麗にアレンジする方法を発信」

❸「気難しい姑とうまく付き合う方法も学べます」

❹「今後、年間300日お弁当レシピというYouTube動画を作る予定」

いかがでしょう？　これぐらいでもフォロワーの顔や属性が見えてきますよね。

第2章で掘り下げた自分の武器、強み、特徴、長く続けたことを整理して、発信の軸を決めてください。

この時、注意すべきは**「オールラウンダーにしない」**ということです（これは第4章でも詳しく解説します）。

あれもできる、これもできる、なんて発信すると、いろんなフォロワーが現れてしまいます。結果、**フォロワーの色が濁ります。**そうなるとフォロワー同士の交流も希薄になるし、あなたのコンテンツが刺さりにくくなります。

アイコンとヘッダーで「本気」を見せる

とどのつまり、「ぱっと見は大事」ということです。

実生活でもそうじゃないですか。容姿、服装、所作、声、佇まい、そんな見た目から判断して、「友達になろう（フォロー）」か「知り合いレベルでいいや（いいねだけ）」、「完全スルーしよう（ミュートorブロック）」ってなりますよね。

その時、大きな判断材料になるのが「アイコン」と「ヘッダー」です。

今でもよく見かけますが「これから副業がんばります！」と宣言しているわりには、アイコン、ヘッダーがまったく整っていない人がいます。

その辺で拾ってきたフリー画像をペタッと貼っただけのアイコン、何を意図しているかが伝わらない、美しいだけの風景写真が貼られたヘッダー。

こういうアカウント、あなただったらフォローしますか？　ぼくならしません。特にヘッダーはTwitterアカウントにおいて、およそ4割を占める大きなスペースです。

つまり、お店の看板や暖簾のようなもの。その暖簾が見るからに残念だったら、くぐって入ろうなんて気が起こらないですよね。これが定食屋さんだったら、見るからに美味しいもの（いい情報やコンテンツ）は出て来なさそうですから。

下手すれば、詐欺まがいのＤＭ（ダイレクトメッセージ）が飛んできそうです。

●デザイナーさん（プロ）の力を借りましょう

じゃあ、どうやって整えるのか？　実際にぼくもそうしたのですが、ココナラなどを使って、デザイナーさんを募って作ってもらうのがオススメです。

ココナラとは、ビジネスからプライベートまで、個人のスキル（デザイン、相談、サポート）を気軽に売り買いできる日本最大級のスキルマーケットです。テレビＣＭを見た人も多いのではないでしょうか。ＳＮＳのアイコン、ヘッダーはもちろん、お店の看板やロゴなんかも発注することができます。

Twitterのアイコンであれば、２０００〜３０００円ぐらいで作れます。ヘッ

著者のTwitterプロフィール（2022年12月現在）

ダーはもう少しかかります。4000〜8000円はみておくといいかと。

たかがアイコン・ヘッダーに、そんなにお金かけないといけないの？　そう思われるかもしれません。でも、ハタから見れば**「アイコンやヘッダーにかけるお金もケチる。その程度の覚悟で副業をやっているんだな」**と見られます。

容赦ない書き方をしてしまいごめんなさい。まあ、でもこれがぶっちゃけ本音です。副業を本気でやっている人は、多かれ少なかれ、ぼくと似たような思考回路を持っています。まずは、ぱっと見であなたの本気度を見せちゃいましょう。

アイコン&ヘッダーのクオリティを極限まで上げる方法

プロにお願いするんだから、ザックリしたイメージを伝えれば、きっといい感じで作ってくれるだろう。そんな風に考える人もいるかもしれませんが、デザイナーさんに丸投げするのは基本NGです。

たとえ、どんなにつたなくても、自分のイメージは伝えたほうが結果的にいいものができ上がります。表情、背景、好きな色合い、小道具(ぼくで言えば万年筆)など。

ぼくの場合は、落語漫画「あかね噺」(集英社)に登場するキャラクターをスマホで撮影してデザイナーさんに添付で送りました(趣味で落語をよく聴くもので、この漫画も愛読しております)。

背景の「雲」についても、ちょうど手元にあった落語会のチラシをスマホで撮影して、こちらも添付で送りました。デザイナーさんからもらったヒアリングシートもできるだけ細かく書き込みました。

なぜ、そこまで自分のイメージを詳細に伝えるのか？

いいアイコンやヘッダーは、デザイナーさんと二人三脚で作るものだと思っているからです。

少し具体的に数値化しながら説明しますね。

完成度を１００として、デザイナーさんと発注者本人の責任は50対50だと思っています。双方が50ずつ力を発揮すれば１００になります。

でも、発注者の依頼が曖昧で「10」の力しかなかったら、デザイナーさんが最大限頑張っても、10＋50＝60の完成度にしかなりません。

すると発注者はこう思うワケです。

「なんかイマイチだなあ……、リテイクだ」と。

この時、「キャラの表情はもっと笑顔で口角を上げて、目は閉じてしまっていいです。背景は暖色系ではなく寒色系でクールな感じがいいです」と、具体的に指示できればいいのですが、「もうちょっとカッコよくしてください」みたいな曖昧な指示をすると、デザイナーさんは苦しみます。

その結果、たまたまいいものができればＯＫですが、65％ぐらいの完成度のものができて、またリテイク……。これではデザイナーさんもたまりません。

発注者はいつまでたっても満足できるアイコンが仕上がらず、デザイナーさんはリテイクが恐怖になります。心が縮こまった状態では、いい仕事をできるハズがありません。


だからぼくは自分のイメージはハッキリ伝えますし、リテイクの方向性も具体的に指示します。加えて返信は「なる早（なるべく早く）」を心がけます。

だって自分が逆の立場だったら、いつまでたってもリアクションがないのってイヤですもん。

細かい修正は後で送るにしても、「方向性が合っているのか、ズレているのか」、それだけでも「なる早」で伝えてあげてください。

デザイナーさんには、伸び伸びと仕事をさせてあげて欲しいのです。

創造の翼が伸びやかになればなるほど、成果物のクオリティは上がります。それは時に、完成度１００％を超えるのです。

外注であっても、あなたの熱量はクオリティを左右する。

ぼくは自分のアイコンとヘッダーが大好きです。200点満点のものを作っていただいた、そう思っています。

デザイナーさんの住まいはわからないので、こういう言い回しもヘンですが、足を向けて寝られません。

さて、なにをツイートしよう？

本気でTwitterアカウントを伸ばしたいのであれば、基本方針は1つです。
それは、**「人の役に立つこと」**。例えば、左図のような感じですね（過去ツイートから引用）。

このツイートで伝えたいことは、「Kindle作家にも美的センスは必要である」ということ。これぐらいなら、他でも発信している人が多いのですが、ぼくはさらに一歩踏み込んで、「じゃあ、美的センスをどう磨けばいいのか？」まで内容に盛り込みました。ここまでツイートして、ようやく人の役に立つ内容になります。

わりと多いのは、抽象的なツイートで終わっているパターンです。
例えば、「フルタイムで副業をやるにはスキマ時間を捻り出すのが大事。最低でも1日2時間は作りたいものですね」……以上！　みたいなツイートです。

ミツ@ネット副業術

Kindle作家にも美的センスは必要
自作でも外注でも上がった表紙を
どう判断して直すor直してもらうか

他のいい本の表紙
漫画の見開きページ
映画のタイトルバック

ヒントはたくさんあります♪

スキマ時間を捻り出すことが大事なんてみんなわかっています。ならどうやって捻り出せばいいのか、そこまで書かないと「人の役に立つ情報」にはなりません。

例えば、「スマホで原稿書きに慣れる。1時間の通勤時間は耳栓をしてすべてブログの執筆に充てる」とか「週末の夕飯作りだけは旦那に代わってもらい、土日にKindle本の原稿を進める」とか。

ここまで具体的に書くと、「へ〜わたしもやってみよう」と思ってもらえます。そんな気づきをくれた、あなたのアカウントを信用するようになります。

結果、いいフォロワーになってくれるのです。

ここまで読んでお気づきの方もいると思いますが、大事なのは「具体例」です。ぼくもここまで「例えば」を散々使って書いてきました。

理由はシンプルです。ぼくらプロでもないコンテンツクリエーターの書き物、ツイートにおいて、抽象的な内容に価値はないからです。読んだ後、情報に触れた後、いかに読者に行動してもらうのか、それがなにより大事です。

「いいこと言ってる風」が許されるのは、ごく一部のインフルエンサーだけです。

ぼくたちはどこまでも泥臭く、心を砕いて言葉を尽くして、細部まで書くことが大切なのです。

控えておくべき「人を遠ざける」ツイート

「自慢」
「人の悪口」
「コンテンツの悪口」
「自虐的なネガティブ発言」
「出口のない愚痴」

この辺りは、言わずもがなですね。ぼくも数年前とかは、イマイチだった映画の辛口批評とか、生意気にもやっていました。いいね、なんて清々しいぐらい1個もつきません。

確かに中にはひどいコンテンツもありますが、それをワザワザ取り上げて、こきおろす必要はないのです。スルーすればいいのです。悪口を発信することによって損なうイメージのほうがはるかに痛手ですから。

「出口のない愚痴」についても補足しますね。

例えば意地の悪い姑、家事をまったく手伝わない夫について愚痴をこぼしたとします。そのままこぼしたままで終わると、読んだ人の気分はドヨーンとなって終了です。愚痴を言い合いたいアカウントを除き、ほとんどの人はあなたのツイートを読みたいとは思わないですよね。

ですが「あまりに家事を手伝わないから、夫の趣味のフィギュアを人質にとって週末こき使ってやりました！」と、ここまでいくと「この人ちょっと面白い」ってなります。**愚痴に出口を作るのです。**この出口がないと、読んだ人は〝負〟のエネルギーだけをもらうことになるので、心がベッコリとへこむわけです。

あとはなんと言っても**「知らんがなRT（リツイート）」**でしょうね。RTとはつまり、ツイートを引用するということです。

例えばこんな感じです。大元のツイートのテーマが「落語」だったとします。

それについて、

「落語いいですよね～！　ちなみに僕が好きな噺家は○○○○師匠です。去年の7月に観た「芝浜」、最高でした。知ってます？　芝浜ってのは……（以下うんちく）」

いかがですか？　あなたが今思っていることを、せーので言ってみましょうか。

「知らんがな！」

……ってことです。エラそうに言いつつ、ぼくもちょっと前までやらかしてました。今でも油断するとやらかします。

特に中高年以降の男性アカウントに多い印象です。どうしてもアニメとか漫画とか映画とか音楽とか、うんちくがたまると誰かに披露したくなるものですからね。

なんと言いますか、悲しき男の性というか。こういう知らんがなRTにも、いいねはつきません。

今後、Twitterに「ダメだね」というリアクションパターンが増えることがあれば、それはたくさんつきそうですけど……。

SNSに実社会の実績を持ち込まない

これもわりとやりがちです。

たとえ、あなたが会社の中でしかるべき立場にいたとしても、Twitterビギナーであるなら、変にエラぶらないほうがいいです。勤めている会社で課長であろうと、部長であろうと、社長であろうと、普段のあなたを知らない人から見れば、それこそ「知らんがな」なんです。

ぼくだって、以前は似たようなことをやっていました。今もTwitterのプロフィールに一行だけ残っている「『報道ステーション』を担当した元・放送作家」。以前はもっと情報を足して発信していました。古舘伊知郎氏が所属する古舘プロジェクトに在籍したとか、放送作家歴27年とか、色々書いてエラぶろうとしていました。そして、このエラそうな感じは普段のツイートにも出てしまっていました。

でも、ある時、気づきました。「オレ、裸の王様じゃね？」と。

ネットを使った副業をやっていると、いやでも気づくことがあります。それは、**Twitterやネットビジネスのトップランナーたちは、若い人が多いということ**です。大部分が20代～30代。彼らのフットワークは軽く、ぼくのような40～50代が「それ、大丈夫？」といぶかしむ情報、サービスをどんどん試していきます。

TikTokとかがいい例です。それまで若者が暇つぶしに見ていたショート動画をうまくビジネスに組み込んで、収益につなげた20代がたくさんいます。

新しい情報への感度が高く、反応速度も速いのです。そんな彼らに実社会での実績を持ち込んで「上から目線」で接しても、スルーされておしまいです。

へりくだりましょうとは言いません。ただ心のどこかで「学ばせてもらおう」という意識でいたほうが、なにかとラクです。

Twitterという新しいRPGを始めたと思えばいいかもしれませんね。

【NEW GAME】を選んで新しくゲームを始める。そこにいるのはレベル1の頼りない小さな勇者です。

いきなり強い敵には勝てないし、まわりの人はあなたのことをほとんど知りません。町の人の話に耳を傾けながら、自分がやるべきクエストをコツコツやって信頼を積んでいく。そんな感覚でいると、いいかと思います。

●1人の人間として正しくふるまう

ＲＰＧの続きで話を進めるなら、１人の勇者としてごく普通に恥ずかしくない行動をとりましょう、というお話です。

「頼られたら助ける」
→自分の知っていることならリプやＤＭで教える。
「教えてもらったらお礼を伝える」
→逆に教えてもらったらリプやＤＭで感謝を伝える。
「ギブにはギブで返す」
→自分の発信、コンテンツをほめてもらったら、相手もほめる。

小さなクエストを積み重ねて、信頼を得ていこう。

これもRPGと同じです。最初はできることが少ないですが、色んな情報を得て、アカウントの力がついていきたら、積極的にやっていきましょう。

ぼくが所属しているKindle作家のLINEオープンチャットでも、優秀な人ほどドンドン初心者を助けています。

「○○についてわかりません、教えてください」という書き込みに対して、「音速か⁉」と思えるほどのスピードで丁寧にレスをつけています。

速さと丁寧さは感動を与え、なにより〝信用〟を積み上げます。

Twitterでは「信用」がホント大事です。

これからの時代（風の時代）に必要なのは

「貯金」じゃなくて「貯信」だ、とおっしゃる方も多いです。ぼくもこれは同感です。必要というか、これがないと話にならないのです。

世の中には「信者」と呼ばれる強烈なファン層を持つブランドがたくさんあります。

代表的なものと言えば、Appleでしょう。Apple信者の多くは「Appleが新製品を出す！」となったら、無条件で買い求めます。一体なぜか？

「きっとまた感動させてくれる」

「きっとまた想像を超えてくれる」

「きっとまた毎日を楽しく便利にしてくれる」

Appleの品質を心の底から信用しているからです。一部の熱烈なファンの中には、製品情報やティザー（PR動画）も見ずに、購入ボタンを押す人もいるでしょう。

そのぐらい「信用」というのは強烈な求心力を持っているのです。信用を獲得するにはどうすればいいのか、さっきご紹介したオープンチャットのように、相手の想像を超える速さと丁寧さで接することです。

TwitterやSNSにおいて、速さは正義であり、誠意であり、安心なのです（これはデザイナーさんへの返信でも書きましたね）。

その場で自分がわかることなら、音速で返す。これを意識するだけで、あなたのTwitterでの信用は積み上がっていきます。

これはなにも「教える立場」からだけじゃありません。誰かに教えてもらったら、音速で「ありがとうございました。助かりました！」と返信をする。やり取りが多すぎて、うっかり失念していた、という場合を除いて、DMの返事を1週間ほったらかすとかはNGです。

「ロクにお礼も言えない人なのか……」と思われて、せっかく積み上げたあなたの信用残高が減ってしまいます。**信用を積み上げるのは大変ですが、失うのは一瞬。これは実社会でもTwitterでも同じです。**

面と向かって話せない分、SNSのほうがよりシビアに判断されると思ったほうがいいです。表情とか声色とか見えない分、やっかいです。……が、実はこれをフォローする裏技があります。それはこの章のコラムでお教えしますので、お楽しみに。

「かわいらしさ」が距離を縮めるカギになる

Twitterでかわいいってなんじゃい？

そう思われる方もいるでしょうね。でも、「Twitterでの立ち振る舞いに「かわいらしさ」を添えることができたら最強です。

基本、ツイートというのは〝自分主体〟の発信手段です。自分はこう思う、こう考える、こう感じる、というのが基本軸です。そこに「他人にもちゃんと興味を持つ」という軸を加えて欲しいのです。

例えば、好きなミステリー映画という話題でリプが続いたとします。その際、自分が好きな映画を発信するのをグッとこらえて、相手が好きな映画について話を展開していくのです。すると相手は気持ちよく返信できます。

シンプルに言えば、「相手に気持ちよくなってもらう」。そうすればきっと相手はこう思います。「こんなに熱心に話を聞いてくれるなんて、かわいい人だな」と。

実はこれ、中高年の人がやると特に効果的なんです。

これって実社会でもそうじゃないですか。

一見、厳しそうな上司なんだけど、映画の話題になった時に「へ～、若い人たちはそんな映画を見るんだ。それってどんなところが面白いの？」って笑顔で興味津々に話しかけられたら、それだけで「かわいいなコイツ！」って思っちゃいますよね（上司をコイツ呼ばわり！　というツッコミは抑えて聞いてください）。

SNSでも基本は「自分から握手の手を差し出す」です。

これをやられると大抵の相手はまいっちゃいます。

「かわいいじゃねえかこの野郎！」……って、出された手を握り返しちゃいます。

おっさんであればあるほど、一見気難しそうであればあるほど効果的です。

ギャップ萌えってヤツですね。Twitterで自分より若い世代とやり取りする際は、ちょっと意識してみてください。

宣伝よりも優先すべきこと

第1章に書いたぼくの失敗、「SNSが宣伝ばかりになる」。

これを防ぐ簡単な方法は、先ほどもちらっと書きましたが、「人のコンテンツをほめる」ことです。

ビジネス書の棚からわざわざこの本を手に取ったあなたのことです。ゆくゆくは自分でもコンテンツを作りたいと思っているのでしょう。

例えばもしあなたがぼくと同じようにKindle作家を目指すのであれば、一番手っ取り早く、すべてのKindle作家に喜ばれるのは「本の感想ツイート」です。

初心者なのですから、まずはまわりの方が作ったコンテンツをほめることから始めるのがいいでしょう。ブロガーを目指すなら、自分と発信軸が似た方の記事をほめたり、YouTuberなら（以下同文）。

ぼくの場合は、次のような手順をよくとります。

ミツ

★★★★★　「コロッケにつまった母の愛」

作者本人の人生を綴った1冊です。

人柄が想像できる、やわらかい文章は読みやすく最後までスラスラ読むことができました。


特に素晴らしいなと思ったのは第3章です。

母親と一緒に小さな定食屋さんに行ったエピソード。

食べたい盛りの作者に、お母さんが自分の分のコロッケを1個あげる場面にジーンときました。


一生懸命コロッケを食べる作者の顔を優しく見つめる母親の描写も素晴らしく、読んでいて涙が出ました。


なんだかこの本を読んでいたらコロッケを食べたくなりました。

コロッケって不思議ですね。決して高価な食べ物じゃないからこそ幼い日の思い出と不思議とリンクします。

素敵な一冊をありがとうございました。

❶レビューを書く

KindleであればAmazonレビューを、ブログであればコメント欄に、感じたことや学んだことを記しましょう（上図参照）。

❷要約をツイートする

レビューの一部をコピーして、ツイートを作成しましょう。

❸メンション

Twitterネームの下にある@を含む表記です。これを入れないと、相手にツイートしたことが伝

ミツ@ネット副業術

特に素晴らしかったのは第３章です。
母親と一緒に小さな定食屋さんに行ったエピソード。

食べたい盛りの作者に、お母さんが自分の分のコロッケを
１個あげる場面にジーン……。

コロッケを食べる作者の顔を優しく見つめる母親の描写も
素晴らしかったです

わりません。

❹ コンテンツのURLを添える

短縮サイトで短くして入れましょう。

❷から❹で1ツイートになります。❸と❹も文字数がかかるので、あわせて140文字でおさまるように❷の文量を調整してください。

「めんどくさっ！」と、お思いになるかもしれませんが、信用の積み上げというのは結局のところ、小さいことの積み重ねです。それにレビューをからめたツイートってめっちゃ喜ばれるんですよ。ウソだと思ったら、試しに作者をメンションしてツイートしてみてください（メンションしない

と、作者にツイート通知が届かないので、必ずつけてくださいね）。

その際、できるだけ❷の感想ツイートをしっかり書くことです。ツイートしたこっちがびっくりするぐらいの熱量の「ありがとう！」が作者から届くと思います。

人のコンテンツをほめることで、自分がリリースした時に応援してもらえたりします。まずは自分から「ギブ（与える）」することから始めましょう。そのためには、人のコンテンツを素直にほめることが大事です。

熱のあるレビューから新たな交流が始まる

熱のこもったいいレビューを書くことを続けると、まわりからこう思われるようになります。「あの人にレビューを書いて欲しい」と。

実際にレビューがきっかけで仲良くなったコンテンツクリエーターの方もいましたし、ある方からはコンテンツのモニターをお願いされました。

モニターは事前にそのコンテンツを読ませていただき、感想を書くことです。

これはBrainというプラットフォームでよく使われます。要するに「推薦文」というヤツです。

映画とかでもあるじゃないですか、著名人・タレントが試写会で見た感想を「推薦文」としてPRに使っていますよね。あなたも「○○さんが絶賛するなら見てみよう！」と思い、実際に劇場に足を運んだことがあると思います。

これはあなたが、○○さんの審美眼を信頼しているからです。魂を込めたいいレビューを書き続けていれば、この○○さんにあなたもなれるのです。

大切なのは「本当にいいと思ったものだけ評価すること」。


以前、あるBrainコンテンツのモニターを依頼されたことがありました。実際に読ませていただいたんですが、ぼく的にはビミョーな内容だったので、正直にそれを伝えました。するとその方は、一旦そのコンテンツのリリースを見送り、改めて新しくコンテンツを作ったのです。

再度、モニター依頼があったので読んだところ、素晴らしい内容だったので、それを伝えると、とても喜んでくれました。さらにいいことに、そのコンテンツはバカ売れとまではいきませんが、着々と売れるコンテンツになりました。

なにを伝えたいかというと、いいレビューとは「正直なレビュー」だということです。仮にぼくが、忖度して「まあ、いいんじゃないですか？」と感想を送ったらどうなったでしょう。

その方の成長はそこでストップしてしまいます。素直にダメ出しできたからこそ、隠れていた伸び代が姿を現し、素晴らしいコンテンツへと化けたんです。

ほめることやモニターを続けていくことで、あなた自身の学びにも繋がります。そして、あなたのTwitterアカウントやコンテンツに視線を向けてもらえる機会ともなりますので、ぜひ挑戦してみてください。

※モニターではしっかり意見を伝えることが大事ですが、レビューの場合は批評家になるのはやめといたほうがいいでしょう。

「ビミョーだな」と思ったら、スルーすればいいんです。わざわざ取り上げて「ここを直せば」みたいなレビューを書くのはやめましょう。

「この人と関わると気分がいい」と思ってもらうことが、なにより大事です。

ツイートの発信の先にコンテンツがある

普段のツイートの先に、コンテンツがあるという意識は持ったほうがいいです。

例えば、普段はまったく「ダイエット」についてツイートをしないのに、ある日突然、ダイエットをテーマにしたコンテンツをリリースしたら、まわりはビックリします。

ちょっとカンのいい人なら、こんな風にいぶかしみます。

「ダイエットってテーマだと儲かりそうだから適当に書いたのでは？」

多分ぼくもそんな風に考えちゃいますね。

ぼくの場合はTwitterアカウントを見ていただければわかる通り、Kindle出版、優しく思いを伝えるライティング、Twitterでのかわいい立ち振る舞いについてツイートしています。なので、これまでリリースしたコンテンツは日々のツイートの延長線上に

コンテンツへの自然な導線は自分で作れる。

ある内容になります。

するとまわりも、それなら自然だから「手に取ってみよう」「もっと知りたいから読んでみよう」となるんです。

「Twitterで知り合った落語好きな方がおっしゃっていた、素晴らしい例えがあります。それは**「Twitterって落語におけるマクラのようなもの」**。

マクラというのは、落語の本編に入る前にする「アイドリングトーク」です。

ビミョーに本編を匂わしながら、スルッと本編に入っていく。故・柳家小三治師匠が得意としていました。

日々のツイートもまさにこれです。いつ

か積立NISAのコンテンツを作りたいと思っているなら、日々のツイートでも発信する。いつか自己肯定感のコンテンツを作りたいと思っているなら、自己肯定感を上げるコツをツイートする。

「コンテンツの内容をネタバレするのはイヤだな～」と思われるかもしれませんが、Twitterの T L（タイムライン）は恐ろしく早いので、そこまで神経質にならずとも大丈夫です。むしろ、今までのお役立ちツイートをまとめて読めるのですから、読者から感謝されます。

ぼくも〝かわいい〟をテーマにKindle本を出版する前は、「Twitterでかわいい立ち振る舞いって大事なんですよ～と、手を替え品を替え、発信していました。

わりと徹底してやったので「それなら読んでみようかな？」という方に手に取ってもらうことができました（ベストセラーも獲得できました。感謝）。

有益ツイートに疲れたら、等身大のツイートを

基本としてツイート内容は「人の役に立つ」、いわゆる〝有益ツイート〟がいいというのはこれまで解説した通りです。あなたがよく目にする「いいね」がたくさんついたものも、読んだ人に気づきや学びを与える有益な内容が多いでしょう。

例えばぼくだと、Kindle出版やライティング、副業に関するツイートがそれにあたります。第5章でも書きますが、

「読みやすい文章を書くには一行目を極力減らすこと」

「普通はカタカナにしない熟語もカタカナにしてみましょう」

「話しかけるように書くと文章は読みやすくなります」

こんな内容を日々ツイートしています。

これらはライティングを始めたばかりの人や、読みやすい文章が書けないと悩んで

いる人にとっては「有益」かつ「学び」があるので、いいねがつきやすく、RT（リツイート）もされやすく、フォローをするきっかけにもなります。

でも、毎日毎日、毎回毎回、有益なツイートを考えて発信するのって結構疲れます。特にTwitterを始めたばかりの頃なんて、どんなにいいツイートをしようとも、あっさりスルーされます。ぼくも散々、味わいました。


そんな時は、あなたのキャラクターや考え方を込めた「等身大ツイート」も少しだけ混ぜてみてください。例えば、「あなたが幸せを感じる瞬間」「あなたにとっての記念日」「大人になってもつい買ってしまう駄菓子」みたいな内容でOKです。

最初はスルーされるかもしれません。でも、2~3日に1回ぐらいコツコツと混ぜていくと効果的です。「Twitterといえば基本有益ツイート」というイメージを多くの人が持っているので、あなたの等身大ツイートにホッとする人がきっと現れます。

事実、ぼくのツイートに「沁みる文章ですね」「その言葉をいただけると勇気が出ます」「涙が出ました」とリプをくださる方もいらっしゃいます。

あまりまわりでやっていない発信なので、あなたがもし有益ツイートをするのに疲れたなぁと思うことがあったら、試しにツイートしてみてください。

あなたが疲れたと感じるということは、他にも同じように疲れている人がいるハズです。同じ心境の人に、語りかけるようにツイートしてみてください。

そっけない文章をソフトにしたい時は

語尾に「！」をつけると、勢いがついていいのですが、乱発すると強い語調が続いたり、少し幼稚な印象を与えてしまいます。そこで語尾にも変化をつけるといいでしょう。次はサクッと使えてオススメです。

❶♪　❷〜　❸(;^_^A　❹(´；ω；`)ｳｩｩ　❺(´・ω・`)ｷﾘｯ

ぼくがよく使うのは、❶と❸です。❶は軽い読後感を出すことができます。

「今日も頑張ります♪」

「それは美味しそうですね♪」

「ご機嫌な声が聞こえてきます♪」

最後の例などは「聞こえてくる」という内容なので、音イメージで「♪」を使うと、ちょっと気が利いた表現になります。

❸も結構便利です。やや手厳しいこと、困ったことに使うといいです。

「ネガティブなツイートは読んでて疲れますね(^_^;)」
「焦らずにいきたいものですね(^_^;)」
「なんというか時代の流れを感じます(^_^;)」

こんな風に使います。試しにすべての語尾から(^_^;)を取るとどうなるか？

「ネガティブなツイートは読んでて疲れますね」
「焦らずにいきたいものですね」
「なんというか時代の流れを感じます」

いかがでしょう？　(^_^;)を取っただけですが、結構冷たく言い放つ印象になりますよね。文章って注意しないと、書き手の感情がむき出しになってしまって、人によっては読んだ時に「うっ！」とダメージを受けることもあります。

特に厳しめの内容をツイートする際はご注意ください。書いた後で読み直して、感情が出過ぎている文章の語尾に付け足せると、印象がソフトになります。

テンプレツイートはほどほどに

伸びると言われるツイートには「書き出しテンプレート」があります。

代表的なものだと

「炎上覚悟で言います」「キビシイこと言います」

「これ知らないと一生〇〇です（例：社畜、情弱、貧乏）」など、あなたもきっとどこかで見たことがあるのではないでしょうか。

「ツイートは一行目にインパクトを」と、よく言われるのでアプローチとしては間違っていません。確かに効果的です。なので、すべてを否定するつもりはありませんが、使いすぎるとまわりと差別化できなくなります。

「炎上覚悟で言います」は一時期よく見かけました。このパターンで多いのは、そう言いながらも内容が「全然とがっていない」ツイートです。

こういうのは「Twitterオオカミ少年」なので、少しずつ信用を失います。

一方で、ぼくの知り合いでテンプレを上手に使う人もいます。決して濫用はしませんし、振りに対してちゃんと答えがある内容をツイートに落とし込んでいます。

「キビシイこと言います」だったら、確かにキビシイ内容だけど、ちゃんと考えなきゃならない大事なことだな〜と思えるような内容です。

ツイートで大事なのは、一行目の「振り」に対して、ちゃんとツイート内容で応えられているか、バランスが取れているかどうかです。

特にTwitterビギナーが安易に使ってしまうと、まわりからは「ああ、テンプレを使って必死に気を引こうとしているな」と冷静に分析されてしまいます。

使いこなせないテンプレを使うぐらいなら、素直に他の方のコンテンツをほめたり、役立つ内容を発信し続けたほうが、印象がいいです。

くれぐれもテンプレは用量用法にご注意のうえ、取り扱いください。

フォロワー数にこだわりすぎない

「そんなこと言っても気になるわ！」というあなたの声が聞こえてきそうなので、戦国武将・立花宗茂の言葉を見ていただきましょう。

「戦いは兵が多いか少ないかで決まるのではなく
1つにまとまっているかどうかである。
人数が多いからといって勝利できるものではない」

たしかにフォロワーは多いに越したことありません。
でも、それ以上に大事なのは、あなたのフォロワーさんが、どの程度あなたのことを信用し、あなたのファンになってくれているのかということです。
たまに見かけるのですが、フォロワーが1万人以上いるのに、普段のツイートにいいいねがほとんどつかない、そんなアカウントがあります。

こういったアカウントの一部は、フォロワーをお金で買った人が確実に混ざっています。加えてフォロバで大きくなったアカウントにも、その傾向は見られます。

フォロバとはつまり、フォローバックの略です。相互フォローで大きくなったアカウントですね。Twitterを始めたばかりの頃は、フォロバでフォロワーを増やすことも確かに必要です。


それでも300~500人ぐらいになったら、なんでもかんでもフォロバするのは考えものです。そのアカウントがあなたにとって本当に必要かどうか、それをしっかりと吟味しながらフォローしていきましょう。

例えばぼくの場合ですと、副業のメインはKindle出版ですから、Kindle関連のアカウントは積極的にフォローします。これから1冊目を書こうとしている駆け出しアカウントだとしても、今後互いに応援し合えそうなアカウントであれば、フォロワー数は度外視してフォローします。

逆にどんなにフォロワーが多かったとしても、自分のアカウントとあまりに関連性が薄いアカウントについては、心の中で「せっかくフォローしてもらったのに、ごめんなさいね」と言いながら、フォローバックしないこともあります。

副業でしっかり結果を出しているアカウントの特徴は、最初に挙げた立花宗茂の言葉の通りです。

1つにまとまって、あなたのファンになっているかどうかを気にかけてください。忠誠心という言葉を現代風に「ファン」と、言い換えてみました。

そりゃぼくだって一時期は思いました。「万垢（フォロワー1万人以上のアカウント）になりたいなあ」って。

でもいまはキレイさっぱりありません。少しずつでもいいから、ちゃんと関係性を築けそうなアカウントとつながればいいや、というのが本音です。

だから、フォロー解除されても、気にしません。

「Twitterを始めるとわかるのですが、フォロワーってわりと簡単に減ります。ぼくも最初の頃は、フォロー解除されるたびに「なぜ!?」ってビクビクしていました。でも、いまはさほど気になりません。

フォロワー数よりも、フォロワーとの日々の関わりが大切。

「ぼくの価値観と合わない人が去っていっただけ」と思うようになりました。むしろ「残るべき人は残っている」と前向きにとらえて、フォロワー全体の質が上がったと考えた方が精神衛生上いいです。

そもそも、フォロワーが増える、減るなんてことは、こちらではまったくコントロールがきかないものです。

コントロールできないことにアタフタしても意味はないので、多少増えようが減ろうが、発信の軸をブレさせず、進むべき道を真っ直ぐ進むほうが大事です。

そのほうがまわりからは「ブレないアカウント」と見られて、長い目で見ると自分と親和性の高いフォロワーが増えていきます。

親和性が高くて相性のいいほうが、互いのコンテンツも応援しやすくなります。

どうかあなたもフォロワー数にこだわりすぎないようにしてください。株価みたいなもので、四六時中気にしていたら、疲れちゃいますから。

媚を売るより仲間を増やす

ホリエモンにリツイートされてバズった！　そんな話を聞いたことがあります。

確かにワンチャン、インフルエンサーの影響力を借りてバズったり、フォロワー数が伸びることはあります（ぼくは経験がありません）。

でも、それはあくまで一過性のもの。長い目で見た時、ネット副業においてプラスになるかといえば、ぼくはビミョーだと思っています。

なぜなら「話題になったから」という理由で飛びついてきた、自分のアカウントとつながりが薄いフォロワーが増えるだけ、そう思うからです。

ぼくのまわりのKindle仲間に「バズは決して必要じゃない」と語る人もいます。

例えば、バーゲンセールで群がってきたお客さんが、セールが終わった後もちゃんとファンでいてくれるのか、これまたビミョーじゃないですか。

フォロワーというのは、あなたの普段のツイート、発信の軸、作っているコンテンツを見たうえで「よし！　フォローしてみよう」という流れが自然です。そのほうがフォローを外されにくいし、あなたがコンテンツをリリースした時にもきちんと反応をしてくれます。

フォローのきっかけがたまたまバズった、TikTokのショート動画（例えば、かわいい猫）だったとします。その後で本筋のKindle本（例えば、ダイエット）をリリースしたらどうでしょう？　TikTokきっかけのフォロワーさんが反応するとは思えないですよね。

なので、**地に足のついた発信活動をしていくのなら、自分と同じ方向を向いて、同じぐらいの影響力（フォロワー数）を持ったアカウントとしっかり関係性を築くほうがはるかに大事です。**

そのほうがお互いのツイートをスルーすることはないし、コンテンツも応援し合えます。ネット副業に近道はありません。Twitterにおけるバズは一見近道に見えますが、決してそうではないとぼくは考えます。

結論、インフルエンサーや万垢に尻尾を振る時間があるなら、切磋琢磨して進んでいける仲間とつながったほうがいいのです。

「ラクして稼げる」という誤解は早めに捨てる

「1日30分で○○万円」、「1ツイートでフォロワー倍増」。

こういう発信をする人、見かけたことはありませんか？　一時期よりは減ったと思いますが、いまだに副業初心者に向けて、「ラクして稼げる」という発信をする人はいます。

ですが、本業だろうと副業だろうと、ラクして稼げるということはありません。

例えば、YouTuberのHIKAKINさんだって最初から稼げたワケじゃないですよね。スーパーでバイトをしながらコツコツと動画を作り続けた結果、ようやく花開き、過去に作った動画も再生されて収益が上がっています。

ぼくが信用するのは、「ブログやKindle出版などのデジタルコンテンツは、元手がかからなくて収益性が高いけど、作るのは決してラクじゃないし、影響力を持つことも大変」。こんな発信をしている人です。

だって「ラクして儲かる」なら、みんなそうなっていますよね。でも現実問題、そうなってはいません。

ラクしては稼げないんです。

ぼくがコミットしているKindle出版やBrainは、一度コンテンツを作ってしまえば、それがネット上で売れた時に収益が上がります。

でも、作ったからといって必ずしも売れるとは限りません。コンテンツの質が低かったり、Twitterでの周知・拡散が不十分だった場合、売れないこともあります。

そして、今あっさりと「一度コンテンツを作ってしまえば」と言いましたが、これがまた結構タイヘンです。

本当の意味でラクという状態とは、質の高いコンテンツが継続的にお客さんに手に取ってもらえ、自動的に収益が上がる状態を指します。ここに持ってくるまでがタイヘンなのです。ぼくもまだまだ道半ば、試行錯誤の連続です。

だからこそ「ラクして稼げる」という甘い言葉に惑わされず、Twitterで仲間としっかり関係を作りつつ、コツコツと思いを込めてコンテンツを作っていって欲しいと思います。

量産型アカウントにならない立ち回り方

「おはようございます、継続大事ですよね！」
「こんにちは、情報をしっかり選んで頑張ります！」
「こんばんは、知識投資やっていきます！」

Twitterでこんなリプ（コメント）も見たことあるかもしれません。これはインフルエンサーや万垢のツイートなどでよく見かける、通称「リプ周り」です。

パっと見の印象はどうでしょう。「その他大勢感」が出ちゃっていませんか？

なぜ、彼らがこんなことをするのか。それは〝そう教えられたから〟です。

今では堂々とそういう発信をする人は見かけなくなりましたが、一時期、Twitterを伸ばすには「リプ周り」が大事、と発信する人がいたんです。

ぼくは勝手に〝搾取系インフルエンサー〟と呼んでいます。

彼らはフォロワーに対して、リプ周りをすすめます。手始めに自分のツイートにリプをつけるように言うんです。リプがたくさんついたツイートは一見人気があるように見えますからね。要は自分のツイートを輝かせる「引き立て役」に、フォロワーを使っているんですね。

最近ではこうした「リプ周り」に意味がないことに気づく人も増えており、リプ周りを真っ向から否定する人もいます。

よく考えてみてください。

「おはようございます、継続大事ですよね！」

「こんにちは、情報をしっかり選んで頑張ります！」

「こんばんは、知識投資やっていきます！」

こういうリプって駅前でやっている〝ティッシュ配り〟と、なんら変わらないですよ。ティッシュを受け取ったとしても、渡してくれた相手の顔なんて覚えてないじゃないですか。**リプ周りはやればやるだけ、あなたの存在が薄くなっていきます。**せっかく持っている個性の色が消えていきます。

「副業をちゃんとやろう！」と、この本を読んでいる人の中でリプ周りをやっている方がいたら、今すぐやめることをオススメします。

リプをするなら、内容をオウム返しにするのではなく、少しだけ自分の考えも入れてきちんと「会話」をしましょう。

例えばこんな感じです。

「おはようございます。継続することで少しずつ習慣になりました。今後もコツコツと続けてまいります。気づきを感謝です」

これこそ、第3章で書いた「1人の人間として正しくふるまう」です。

機械的なやり取りに人は魅力を感じません。大事なことなので繰り返しますが、Twitterを通してきちんと会話をしましょう。テキストだけとはいえ「この人はちゃんと目を見て返信してくれているな」というのはわかるものです。

リプ周りは没個性の始まりです。あなたのアカウントの価値を大きく下げます。

本気でTwitterを伸ばしたいと考えている方は、今一度過去の自分のSNS運用を振り返ってみてください。そして、あなたが崇めているインフルエンサーが、本当に正しいことを言っているのか、よくよく見極めてください。

第3章のまとめ

- コンテンツを拡散する場としてTwitterはもはや必須！
- プロフィールはあなたの覚悟を見定める物指しになる
- 知らんがなRTは何も生まず、こぼれるのは見た人のため息ばかり
- 「Twitter版、裸の王様」になってはいけない
- 人のコンテンツをほめてかわいくなろう
- 普段のツイートは「落語のマクラ」、その先にコンテンツ（本編）がある
- たまには等身大ツイートで自分の色を出そう
- 見ず知らずの万垢より気にかけるべき仲間がいる
- 考えなしのリプ周りはアカウントの価値を下げる

第4章ではいよいよコンテンツの作り方について解説いたします。お楽しみに。

コラム 2

文章で伝えきれないことを、まるっと伝える㊙テク

97ページにて、こんなことを書きました。

「面と向かって話せない分、SNSの方がよりシビアに判断されると思ったほうがいいです。表情とか声色とか見えない分、やっかいです。……が、実はこれをフォローする裏技があります。それはこの章のコラムでお教えしますので、お楽しみに」

ということで、約束通りお伝えします。SNSやDMなど文章のみでやりとりする場合に、伝えにくいことをより柔らかく、また誠実さを持って伝えるにはどうすればいいのでしょうか。

それは、たびたび言及している音声配信、スタンドエフエムを使うということです。

ぼくも2020年の11月からアカウントを作り、毎日コツコツ配信しています。ボタン1つで簡単に収録できて、サクッと配信できます。初めての人にも使いやすいアプリです。

ではこれをどうTwitterで活用するのか？　一番簡単なのは収録した内容をTwitterで拡散することです。これはよくYouTuberの方もやっていますよね。「動画アップしました！　よかったら見てくださーい！」ってヤツです。

そしてもう1つ、便利なのが「収録の限定URL」を発行できること。

要するに公開範囲を指定できるんです。「限定URL」の収録は、誰もが見られるワケじゃなく、そのURLを知らないと見られないのです。アンオフィシャルな収録ということですね。これをどう使うか？　ぼくはTwitterのDMの返信に使っています。

例えば「わたしのアカウントを見て、どんなKindle本が書けると思いますか？」みたいな質問に対して、音声で返信をするのです。

音声にすることで文章を書くより手間が省けます。細かいニュアンスも伝えやすいです。あと優れている点は、少し手厳しい内容を伝えやすいこと。

例えばKindle本のモニターをして、感想を求められた場合。

文章で書くと「ちょっと惜しい感じです。この章の内容はもう少し深掘りする必要があるかと思います」という感じになります。これでもかなり気を遣って書いていますが、少なからず傷つく方もいますよね。そこで音声で伝えてみるのです。

例えば「ちょっと惜しい感じです」という部分。本当に「惜しいな！」という気持ちを込めて言葉にすると「ん〜〜〜、ちょっと惜しい感じです」ってなりますよね。「ん〜〜〜」という部分に「ああ、この人はちゃんと読んだうえで、悩みながらも良かれと思って進言してくれているんだな」という空気が出ます。

これが声のチカラです。限定URLを使ってのDM返信。興味がありましたらTwitterでの発信に取り入れてみてください。

なお注意点を1つ。送った相手には、くれぐれも他人に聞かせないようにと伝えておくといいです。これって、いわば「声の手紙」です。手紙はおいそれと他人には見せないですよね。この意識を相手にも持ってもらいましょう。

「この音声は、○○さんに向けて収録した限定URLです。取扱いにはご注意くださいませ」と、このぐらいの但し書きはしたほうがいいでしょうね。

第4章

さぁ、あなただけのコンテンツをリリースしよう

自分を掘り下げて、発信して見えてくる「自分の商品」

ネットを使った副業をやるうえで、大事なことは「自分の商品を持つ」ということです。アフィリエイトは他者が作った商品を紹介して利益を得ます。ということはつまり、他者がその商品のリリースをやめたら、そのアフィリエイトは成立しなくなり、収益はゼロになります。アフィリエイトは「他力本願」な部分も大きいのです。ならどうすればいいのか。それが先ほどの、「自分の商品を持つ」ことです。ぼくの場合で言うと「Kindle出版」や「Brainの販売」、そして最近依頼が増えてきた「Kindle出版サポート」になります。

商品のカタチは他にもいろいろあります。まだまだ怪しいイメージを持つ方も多いと思うのですが、「コンサルタント」だって立派な商品です。Kindle出版や、Twitter運用のサポートがしっかりできるなら、それも「コンサル」として成立します。

ぼくも一度受けたことがありますが、影響力を持てれば「30分のスポットコンサル

（1万円）」なんてやり方も成立するわけです。この場合、その人の考え方、マインドがブランドになり、商品になっています。

……といっても、そこまでの道のりは遠く、この本を手に取った多くの方は、まだ自分の商品を持っていない状態だと思います。そこで第4章では、初心者がどうやってコンテンツを作っていけばいいのか、ぼくが知る限りのコツをお伝えします。

そもそも、コンテンツとは一体なにか？

一番シンプルな答えは**「人よりうまくやるコツ」です。**

世の中にはいろんなコツがありますよね。運動だったら「逆上がり」「ボールを速く投げる」。趣味だったら「テントの張り方」「人より魚を多く釣る」。人付き合いであれば「同僚が苦労する上司をうまくいなす」「忘年会をうまくかわす」などなど。

一見、どれも取るに足らないことに思えますが、知りたい人はあなたが思っている以上にたくさんいます。

例えば「料理のレシピ」だって立派なコンテンツになります。

ぼくの家の近所に、「もやしソバ」がめっちゃ美味しいお店がありました。でも、店主がご高齢になって、数年前に惜しまれながら閉店しました。閉店を発表してからは連日長蛇の列ができていたものです。閉店した今、もう二度とあの「もやしソバ」は食べられません。

でも、これがコンテンツとして残せていたらどうなったでしょう。お店の歴史と、もやしそばのレシピを詳細に書いたKindle本があったら？　仕込みから完成までを撮影したYouTube動画があったら？　あれだけ多くのお客さんをひきつける味です。知りたいお客さんや中華料理好きの人はきっと全国にたくさんいます。

そのKindle本が読まれて売れれば、高齢の店主は年金の他に印税を手にできます。お孫さんにあげるお小遣いに色をつけることだって、ねだられたおもちゃを買ってあげることだって、奥様との旅行費用にだってあてることができるのです。

「プロのレシピとか技とか、自分は持ってないよ〜」と、悲観的に考える必要はありません。もともと存在するノウハウだとしても、**あなたが実践してきた「うまいやり方」を加えることで、すべてはコンテンツになります。**

例えば、さっきあげた「テントの張り方」に、あなた流のコツ「ペグの打つ位置、ロープの結び目を数センチズラす」のような、小さなものを集めていけば、コンテンツになります。

それをすることで得られるメリット（例：強風に耐えられるとか）をきちんと加えることができれば、思わず人が真似したくなる、いいコツになります。これだけで「どんな強風にも耐える！　オレ流 完璧テント術」みたいな、Kindle本やYouTube動画が作れそうじゃないですか？

コンテンツと言葉だけ聞いて、ことさら大げさに考えないでください。

最初にお伝えした通り「人よりうまくできる」、そんなコンテンツの核になる部分は意外とシンプルで、すでにあなたの中にあることが多いんです。だからこそ、第2章でご説明した通り「自分の掘り下げ」が大事になってきます。

あなたの中に眠っている〝小さなコツ〟を今一度、人生を振り返りながら掘り起こしてみてください。きっとコンテンツの〝種〟になります。

その種を上手に植えて、芽吹いて実がなれば、それはあなたに〝収益〟と〝自信〟をもたらします。

人より体を張った経験が、アイディアの源泉となる

注目すべきKindle本があります。Amazonのビジネスマナーのカテゴリーで、「ソープ嬢として働くコツ」を説いた異色の本が、ランキング上位をキープしています。

実は同じカテゴリーにぼくの本もありまして、順位を確認するたびに目にしていたので、ずーっと気になっていました。そして試しに、読んでみたんです。

ちょっと際どい表現はありましたが、特殊な仕事場ならではの「接客スキル」がしっかりと書かれていました。

これは極端な例ですが、**あなたが体を張って、時には傷ついてまで体験したこと、またはあまり人がやらない仕事をしていた経験は、コンテンツにする価値があるし意味があります。**

さっきのソープ嬢の方の本も、これから同じ仕事をしようとする女性にとっては、とても素晴らしい読み物です。

だってそうですよね。こういった情報って、ネットで調べてもなかなか出てきません。出てきたとしても断片的ですし、書き手のバイアスがかかっていることも多いです。それがこの1冊を読めば、まとめて手に入るんです。

これは予測ですが、この本1冊で月収1万円ぐらいにはなっています。というのも、同じぐらいのランキングにいる、ぼくのKindle本がそれぐらいの収益を上げているからです。しかも、知識としてさびることもありません。だってこの世に性欲がある限り、この仕事はそうそうなくならないですよね。

この作者が書いた知識を必要とする人は、今後も必ず現れます。そういう意味でも息の長いコンテンツになっています。お見事としか言いようがありません。ごくまれにぼくみたいなヤツが紹介すれば、気になって手に取る人もいますよね。

ぼくは常日頃こう思っています。

人を騙す、傷つける以外、お金を稼ぐ手段に貴賤(きせん)はない。

この方向で考えを広げれば、風俗の仕事をしている人が日頃どうやってメンタリティを保っているのか？　性病にかかった時、どんな病院がオススメなのか？　確定申告はどうやっているのか？　身バレしないようにどう工夫しているのか？　身バレした時にはどう対処するのか？　この辺りの内容もコンテンツになるでしょう。

あなたの人生や経験はすべてコンテンツになると言っても、過言ではないのです。繰り返しますが、**人より体を張ってやったこと、悔しくて、みじめで悲しくて流した血や涙。それは決してムダではありません、一滴残らず、コンテンツに落とし込んでください。そうすれば未来のあなたをきっと救ってくれます。**

こうした経験はKindle本だけに限らず、顔出しせずにYouTube動画を作ったり、ブログのいいネタにだってなります。

●人より先に一歩前へ、恥をかくことをためらわない

今は時代の移り変わりが早いです。

mixiからFacebookになり、Twitter、Instagramが生まれ、TikTok、次々と新しいSNS、プラットフォームが生まれています。

そんな時に大事なのは……

「誰よりも先に飛び込み、誰よりも先に恥をかき、誰よりも先にコンテンツ化する」

これができる人は強いです。なぜなら、ぼくたちは「日本人だから」。ぼくもあなたも盛大に叩きますよね？　「石橋」を。

とかくぼくたちは学校教育で、「協調性」「足並そろえる」「出る杭にならない」……という教えを受けます。要するに「大勢の中で目立つな、まわりと合わせろ」ということです。進路を決める時も、親や教師は「冒険」よりも「安心・安全」を重視しますよね。

信号を渡る姿にも日本人の特性はよく出ています。たとえ青になったとしても、どこかまわりをうかがってから渡りませんか？　安全確認という意味もあるかもしれません。でも、ぼくには自分で判断して渡るのではなく、人に合わせているようにも見えるのです。

基本的にみんな引っ込み思案。

ぼくだって似たようなものです。だからこそ**「人より先に動ける人は強い」**。

例えば、TikTokを人より早く始めて、人より早く成功したら、そのやり方はそのままコンテンツになります。たとえ誰よりも早く垢BAN（アカウント停止）を食らったとしても、その失敗もコンテンツになります。

「〇〇な動画をアップロードしたら、アカウント停止になった。みなさんも注意して！」と発信できるからです。

当然ながら、こういう失敗情報も、プラットフォームが整備されていくにつれ少なくなります。昨日発信して感心された情報が、今日の時点ではもう常識になってしまう。そんなことが当たり前のように起こります。

基本、どのプラットフォームも先行者が有利です。第3章をまるまる使って説明したTwitterだってそうです。以前は、まだまだ知らない情報もたくさんありました。

今ではすっかり常識となった「名前はひらがなかカタカナで3〜4文字がイイ！」なんて情報も、2年前ぐらいだったら「おーー！　そうなんだ！　すげ〜！」と感心されたわけです。

※ちなみにこれは今でも通用する名前の付け方です。覚えてもらいやすいし、呼びかけもしやすいので、ぼくのまわりのアカウントはこの法則で名前をつけている方が多

いです。本名や漢字でTwitterをやっている人はほぼいません。だって呼びかけるのに、名前を打つのがタイヘンじゃないですか。

TwitterもTikTokも、アカウントを作るだけなら誰でも無料でできます。

今後もいろんなプラットフォームが登場するでしょう。その時、登録無料でアカウントが作れるなら、ひとまず作ってしまうことをオススメします。……で、いろいろ触ってみる、体験してみる。

その結果、得られた情報をツイートしたり、ブログに書いてみる。これだけでまわりから一目置かれます。

「ああ、この人はとりあえず動いて、トライする人なんだな」と。

副業界隈で活躍する人の特徴の1つに「フットワークの軽さ」があります。

「脱・日本人気質」、あなたも、ほんの少し意識してみてください。

「呪い（思い込み）を解くことだって、コンテンツになる」

先ほども書きましたけど、日本って禁欲的、抑圧的な教育を受ける場面が多いですよね。「独創性より協調性」「冒険よりも安心・安全」とか。

奥ゆかしい感性は日本人の美徳ですが、行き過ぎると〝生きづらくなる〟のも事実です。だからこそ、**あなたの気づきで「呪い」を解くことができれば、そのままコンテンツになります。**例えばこんな切り口です。

「不登校でもいいじゃない」
「息苦しい親戚付き合いはしなくていい」
「母親だけが家事をすることない」
「夫婦の寝室が別でもいいじゃん」
「月収10万円でも幸せになれるよ」
「ジェンダーレスの息子を抱きしめた話」

「マザコン、ファザコンのなにが悪い？」

「母子家庭だからって、不憫（ふびん）じゃない」

世間一般の常識とか関係ないんです。少なくともあなたが「そのやり方」でうまくいったなら、同じように悩む人に向けて発信してもいいんじゃないですか？


ぼくのKindle仲間の1人が、こんなテーマのKindle本を書きました。

「子離れなんかしなくていい」

この提案は、こんな風に悩む親御さんに刺さりました。

「子供が反抗期で、どう距離を取ったらいいのかわからない」、「来春、進学で県外に行ってしまうと思うと涙が止まらない。子離れしてないわたしはダメな母……」

世間一般のイメージもこんな感じです。


「子離れできない」＝「過保護」、「（度が過ぎると）毒親」

こう考える親御さんも多いんじゃないでしょうか。

子供にとっていい親であるために、成長と共に子離れして、遠くからそっと見守る。そんな親でなければならない。

そんな多くの親御さんに向かって作者はこう言ったんです。


「無理に子離れする必要ないんですよ」


この本のレビューにはこんな言葉がたくさん並びました。

「本当に心が軽くなりました」

「今すぐ帰って家族を抱きしめたくなった」

「多くの親の悩みに応える本でした」

そうなんです。みんな誰かに呪いを解いて欲しかったんです。「子供にとっていい親とは、適齢期になったらちゃんと子離れする親である」、こんな呪いです。

でもこれってヘンですよね。だってそうじゃないですか。人間1人ひとり、個性があります、価値観だって違います。当然、親子の距離感だって、千差万別です。

まるで友達のような距離感の親子もいるでしょう。そうかと思えば、厳しい規律の中、一定距離を保つ親子もいるでしょう。どちらが正しいなんて正解はありません。大事なのは本人たちがそれで幸せかどうかです。

いつまでも子離れできない母親を、それでもあなたがかわいいと思うのなら、それでいいのです。世間一般の常識や価値観に合わせて、無理やり子離れする必要なんて1ミリたりともないのです。

こういう呪いって、あなたのまわりにもあるんじゃないでしょうか。その呪いによって、自分と同じように苦しんでいる人もいるんじゃないでしょうか。

ならば、あなたが先人を切って、呪いを解くコンテンツを作ればいいんです。あなたが奮った勇気の一筆が、誰かの呪いを解くかもしれない。そう思えば作る意義は大いにあります。

まずは「お悩み解決」に終始せよ

コンテンツとは呪いを解く、という流れからだと理解しやすいと思います。

コンテンツとは「人の悩みを解決するものであれ」ということです。Kindle本であれば、自分が好き勝手に言いたいことを書くのではなく、人が困っていること、悩んでいること、わからなくて迷っていることに対して、あなたなりの〝答え〟を提示するものであったほうがいいということです。

答えのカタチについては様々です。

例えばノウハウだと、「Kindle出版のやり方」「原稿の書き方」「表紙の作り方」「YouTube動画のサムネイルの作り方」「動画テロップの付け方」「積立NISAの始め方」などが挙げられます。

マインドだと、「自己肯定感を上げる方法」「夫婦関係に疲れた時の対処法」「ゲーム依存から抜け出すための心構え」「サービス残業を断る強い心」などなど。

これは本当にごく一部です。人が困っていることは、あなたが思っている以上にたくさんあるものです。TwitterのDMとかで人から聞かれたことは、大体コンテンツになると思っていいでしょう。

これは、ぼくも詳しい人に聞いたことです。

縦書きのKindle本の原稿の書き方について、縦書きの本をたくさん出版されているKindle仲間に聞いたことがありました。その方はとても丁寧に教えてくれまして、めちゃくちゃ助かりました。

これだってそのままコンテンツになります。Kindle本1冊にするにはボリュームが足りないかもしれませんが、noteで数百円の有料記事にする価値はあります。まだ見かけたことがないので、気になる方は作ってみてはいかがでしょう?

他にもわかりやすい例だと、「小説の書き方」をコンテンツにするのも手です。

Kindle界隈でも小説を書かれる方は結構いらっしゃいます。皆さん頑張って素晴らしい作品を書かれますが、Kindle市場にはプロ作家がいます。そこと比べられるとどうしても旗色が悪くなります。

そこで、「小説の書き方」をコンテンツにするのです。事実、そういった作品を書いてちゃんと読まれているKindle仲間もいます。

小説を書きたい人は今でもたくさんいます。ただ、どうしたらうまく書けるのか、どうやってストーリーを作ればいいのかわからない人も多い。

そんな人たちの助けになるようなコンテンツを作れば、プロ作家が圧倒的に強い小説というプラットフォームであっても勝負はできるのです。

要は**同じ土俵で戦わないこと**です。勝負する場所を少しズラすのです。そのうえで人の悩みを解決することを意識して、コンテンツを作ってみてください。

小説の書き方本が人気になれば、読者の中には「こんなノウハウ本を書く作者は一体どんな小説を書くんだろう?」と興味が湧く人も出てきます。そうなれば、ある日、突然小説をリリースするよりははるかに読まれる確率が高くなります。

おそらくこの本を読んでいる多くの方は、インフルエンサーでもなければ、一流クリエーターでもないと思います。いきなり「芸術品」を作れたとしても、なかなか手に取ってはもらえません。まずは誰かの役に立つ「実用品」を作ることを心がけま

すべての経験が、「実用的なコンテンツ」の原石になる。

しょう。

この考え方はKindle出版だけに限った話ではありません。先ほどの「子離れしなくていい」という例であれば、YouTube動画で顔出しして、涙ながらに語ってもいいでしょう。

顔出しが恥ずかしい人は、音声配信でもいいです。もっと言うなら、Zoomで個別相談に乗ってもいいでしょう。

「呪いを解きながら、悩みを解決する」ことを意識して、コンテンツに落とし込んでみて下さい。

泥臭いコンテンツにこそニーズがある

サッカーに興味がない方には申し訳ないのですが、あなたに1つ質問です（しばらくサッカーの話が続きますが、最後はコンテンツの話につながっていきますので、申し訳ありませんが、お付き合いください）。

Q：これまで日本代表がW杯で決めたゴールの中で、一番好きなゴールは何ですか？

2002年日韓W杯で稲本潤一選手が決めたゴール？
2010年南アフリカW杯で本田圭佑選手が決めたブレ球ゴール？
2022年カタールW杯のスペイン戦で田中碧選手が決めた決勝ゴール？

ぼくが一番好きなゴールは、1998年フランスW杯、ジャマイカ戦で中山雅史

（ゴン中山）選手が決めたゴールです。

この大会、日本は予選リーグで、アルゼンチン、クロアチアに2連敗。得点はゼロ（いずれも0－1）。最終戦、このままゴールを奪えずに敗れたら、初めてのW杯、なんの爪痕も残せずに終わります。

そんな絶望から日本を救ったのが中山選手のゴールでした。

シュート自体、決して美しくはありません。わずかにタイミングのずれたクロスに（ロペス選手のシュートだったらしい？）無理やり体をひねって、右太ももで合わせて「強引にねじ込んだ」泥臭いゴールです。

この時、中山雅史は骨折していた

これは有名な話なので、ご存じの方もいるかもしれませんが、この時、中山雅史選手の右足は折れていました。

判明したのは試合後でしたが、試合中の接触で右足（腓骨）を骨折していたんです。

折れた右足で、日本にW杯初のゴールをもたらしたんです。

試合は3戦全敗、予選リーグ敗退でしたが、1点も取れずに終わっていたら、もっと敗北感が大きかったでしょう。世界の壁の厚さを感じて、日本サッカーがここまでの成長をすることはなかったかもしれません。


ここまで長々とサッカー話をしてお伝えしたかったこと。

それは「泥臭くコンテンツを作りましょう」ということです。

どんなネットのコンテンツでも話題になっているもの、売れているものを見るとキラキラ光っていてハデです。

「圧倒的再現力！　○○ライティング」

「バズは作れる！　超Twitter術」

こういうコンテンツを自分でも作ってみたい！　って思いますよね。

ぼくも、そんな風に思った時期がありました（遠い目）。

でも、最初からはムリなんですよ。初心者がやるべきことは、人がめんどくさがってやらないこと。

例えば、

▽サムネ作成に便利なフリー素材サイト20選
▽Kindle、記事作成に便利なニュース記事まとめ
▽ニンジン、ジャガイモ、玉ねぎ、豚肉でできるカレー以外のレシピ30選（地味に欲しい）
▽（学校の先生向け）わたしが授業で使っているマル秘レジュメ
▽人気テレビ番組のサイドスーパー1000個集めてみた！（グルメ番組編、情報番組編、ニュース番組編、バラエティ番組編、ジャンル分けして分析、共通するパワーワードを解説する）

こんなことでも数を集めればコンテンツになります。試しに作ってみて、有料noteにして、100円とかで売ってみるといいです。

プロと戦うために必要な「リスク」

「副業にリスク？」と思うかもしれませんが、大切なことです。

というのも、自分の心をさらけ出す（ぼくは心のパンツを脱ぐなんて言ったりします）ことが必要だとぼくは思うんです。これも泥臭いやり方ですが、具体的にご紹介しますね。

ぼくは2冊目にリリースしたKindle本で、余命幾許もない母とのやり取りをそのまま書きました。ウソをつかず、大げさにせず、ありのままに、ありったけの熱を込めて、すべてを伝える。それを心がけました。

２０１３年１月14日、母は病院のベッドの上で永眠しました。

胃がんでした。胃を全摘しましたが、再発しました。方々に転移してしまって、最後は抗がん剤も断り、どんどんやせ細りました。

ある日の夕方、母がベッドの上で起き上がって言うんです。

「これから言うことをメモしなさい」

それは、預金通帳の場所でした。

「生きて病院から出られない」

そう悟った母が言い残してくれたんです。

この時、病室にいたのはぼく1人でした。ぼくだけが母の言葉を聞きました。

自分の母ながら思いました。

「なんて立派な人なんだろう」

それを伝えたくて書いた本でした。

覚悟と迫力は「思い」となってユーザーに伝わる

恥ずかしいとか、照れくさいとか、そもそも身内のことを書くってどうなの?

いくつかのリスクが頭をよぎりましたが、そんなつまらないことより「こんな人間がいたんだ」ということを、1人でも多くの人に知ってほしいと思って書きました。

だってぼくが書かないまま、そのまま墓場まで持っていったら、まわりの人は永遠に知ることはありません。

目立つことは好まず、いつも控えめな母でした。天国から見ていたなら「わたしのことなんて書かなくてもいいのに」、そんな風に思ったかもしれません。

それでもぼくは書きたかったのです。たくさんの人に伝えたかったのです。

結果、2冊目ながら30を超えるレビューがつき、「泣いた」「感動した」というありがたい言葉もたくさんいただきました。1冊目のKindle本では見向きもされなかったぼくのコンテンツが、たくさんの人に届いたのです。

こういうコンテンツは他にもあります。キングコングの梶原さんがカジサックとしてやられているYouTubeチャンネルもそうです。

ゲストで出演される芸人さんたちは、みんな本音で語ります。テレビでは決して言わないこと、見せない素顔を見せてくれます。だからこそ、あれだけ人を引きつけるコンテンツになっているのです。

出版サポートで実感した、ぼくらのコンテンツに必要な要素

前述の通り、ぼくはKindle出版をするかたわら、有償で出版サポートもしています。主にTwitterのDMを使って、依頼者と相談しながら原稿を作っていきます。

その時、けっこう多く感じることがあります。

「もう一歩踏み込んで書くと、もっとよくなるのに」

思い出したくない過去やコンプレックスを詳しく書くのはつらいことです。よくわかります。でも例えば、うつをテーマに書く場合、どんな言葉に苦しんだのか、どんな接し方をされるとつらかったのか。そこまで書いて初めて読者の心に届くコンテンツになります。

つらいこと以外にも、あなたにとって素晴らしい記憶や思い出は、一歩踏み込んでディティールに迫ることで、さらにエピソードが輝くのです。

例えば、貧しい時代、母と一緒に食べた定食屋のオムライス。自分が食べる姿を、母はどんな顔で見守っていたのか、どんな言葉をかけてくれたのか、お店を出る時、

つないだ母の手のぬくもりにあなたはなにを感じたのか。繰り返しますが掘り下げて、掘り下げて、丁寧に書き綴ることで、読者の心に届くのです。

プロのクリエーターは、これらのシーンを想像やイメージで描くことができます。でも、プロでもないぼくたちが、同じことをするのは至難の業です。それならば、出し惜しみしている場合ではないのです。目一杯絞り出すのです。すべてをさらけ出すのです。そこまでして、ようやくぼくは、コンテンツのスタートラインに立てると思っています。

ぼくは日頃からこう思っています。

「安全圏からコンテンツを作っていても届かない」

そうなんです。大切なのは「あなたから心のパンツを脱ぐこと」。

最初は恥ずかしいかもしれませんが、ちょっと意識してみてください。

※「安全圏からコンテンツを作らない」という話は第5章の「ライティング」にも登場します。大事なことなので、繰り返し細かく書きました。ご容赦ください。

方向性を見定める7つのチェックポイント

YouTube、TikTok、Kindle、ブログ、Brain、note……令和の時代、コンテンツをリリースできるプラットフォームは多彩です。ぼくはすべてを試しました。そのうえで、残ったものがKindleとBrainです。

なぜその2つだったのか？　理由はいたってシンプル。ライティングが好きだったからです。加えてありがたいことに、たくさんの方から「読みやすい」と、ほめていただいたからです。

その結果、「楽しんで書く」→「作品も多く読まれる」→「収益が上がる」→「一層やる気が出る」→「楽しんで書く」というサイクルを回すことができています。中でも一番大事なのは、「楽しんで書く」という部分です。

今でもたまにTwitterで、「ブログ記事が書けない～」「YouTube動画の編集が進まない～」という、副業初心者・中級者の悲痛な叫びを見かけます。

これは副業サイクルの第一段階、「楽しんで書く」でつまずいている可能性が極めて高いです。次に挙げる7つのチェックポイントに「NO」が多い人は、そのまま続けていく前に、取り組むべき副業、コンテンツ作りの方向性を見直す必要があります。

❶ やり始めると寝食を忘れられるか？

そのぐらい熱中できるかどうか、これが1つの指針になります。

ぼくの場合「今日は書くぞ！」と決めたら、4〜5時間ぐらいはひたすら書き進めることがあります。以前、1万字まで書いたデータを間違えて消したことがありましたが、そのまま心を折らずに、その日のうちに1万字書き直しました。つまり1日2万字書いたということですね。これはちょっとやりすぎかもしれませんが、「気づいたら1時間、2時間たっていた」というぐらい熱中できるかどうかは、楽しんでやれているかの見極めポイントになります。

❷ クオリティを高められるか？

コンテンツを仕上げた後、最後に推敲をします。でもその前段階、書きながらで

❶やり始めると寝食を忘れるか？

❷クオリティを高められるか？

❸新しいアイディアが出るか？

❹胸を張ってリリースできるか？

❺リリースした時に反応はあるのか？

❻批判的なレビューに強い気持ちを保てるか？

❼リリースした後も作品を手入れできるか？

も、クオリティを高めていけるか、これも大事なポイントです。ぼくは天才でもなんでもないので、執筆中に何度も何度も書いたり消したりを繰り返します。5〜6行書いてから「ん〜〜、イマイチ」とつぶやいてバッサリ消すことも多いです。

この本もそうやって書き上げました。納得いかない部分を「ま、いいか」とスルーせずにできるかどうかも、楽しんでやれているのかの見極めポイントになります。

❸新しいアイディアが出るか？

作りながらどんどんアイディアが出る時って、いいコンテンツになることが多いです。例えば「こんな表紙にしよう！」とか「本の帯部分に入れるコトバはこうしよう！」「本の冒頭にこんな偉人の言葉を入れよう！」とか。

YouTube動画であれば「こんなサムネにしよう！」とかですね。こんな風にどんどんアイディアが出てくる時は、楽しんで作れている証拠です。

❹胸を張ってリリースできるか？

その時にできる全力を尽くしてコンテンツを作れたなら、堂々と胸を張ってリリースすることができます。逆に作品に心残りがあったり、磨き足りない部分があるのを自分でも自覚しながらだと、リリースした後でビクビクしちゃいます。

Twitterでも堂々と「自信作ができました。ぜひ手に取って下さい」と言えるか。はたまた「新刊を出しました。よかったら手に取って下さい」と少し弱腰になるのか。

この差は結構デカいです。胸を張ってリリースできれば、たとえどんな結果になったとしても受け止められます。そのために全力で楽しんで作りたいですね。

❺リリースした時に反応はあるのか？

これは楽しんで取り組むためにとても大事なポイントです。せっかく時間をかけて作ったコンテンツに対してリアクションがなかったら、ちょっとめげますよね。その場合、普段のツイートとコンテンツがうまくつながっていないのかもしれません。

前にも書きましたが、普段の発信はダイエットなのに、リリースしたコンテンツが「積立NISA」に関したものだったとか。読者は意外とちゃんと見ていますので、発信軸とコンテンツの整合性をチェックしたほうがいいでしょう。

❻批判的なレビューに強い気持ちを保てるか？

コンテンツ作りをしていると、イヤでも食らうのが「批判的なレビュー」です。ぼくも何度も書かれました。的を射た意見もありますが、中にはただただ罵詈雑言のような長文レビューを書かれることもあります。それを目にした時に、ちょっとでも「痛いところ突かれた」と思うのであれば、作品を直したほうがいいでしょう。

でも、決してそんなことはないと自分の中で断言できるなら、強い気持ちでスルーできます。これも楽しんで全力でコンテンツを作れたかどうか、見極めるうえで大事なポイントです。

❼ リリースした後も作品を手入れできるか？

ぼくは時間をかけて苦労して作ったコンテンツは「我が子」だと思っています。だからこそ、できるだけたくさんの人に愛されるように、リリースした後も可能な限り手を入れるようにしています。

こういった紙の本ですとムズカシイのですが、Kindle本はこれを気軽にできるのがいいところでもあります。「あの情報古かった」「あの情報入れ忘れた」となったら、原稿を書き直して再アップロードすればいいのです。去年リリースした本にも、加えるべき情報を入れ忘れていたので、あわてて修正したりしました。

読者がコンテンツを目にするタイミングはバラバラです。それでもなるべく最適な内容で届けたいですよね。

YouTube動画やブログも同様です。アップロードした後も、情報が変わったら、それに合わせて内容を改訂や補足できるかどうか。自分が作ったコンテンツにどのくらい愛着があるのか、しっかり見極めてくださいね。

モチベーションの壁を乗り越えた人がクリエーターとなる

さてさて、コンテンツを作っていこうとすると、立ちはだかる壁があります。

それが〝モチベーション〟です。ぼくの記憶では、日本に広く知れ渡ったきっかけはスポーツだった気がしています。

「モチベーションを高く保って練習に取り組みたい」

そんなアスリートのコメントを耳にした方も多いのではないでしょうか。

言葉の意味は、ザックリと「やる気」に翻訳され、こんな風に使う人も増えました。

「今日はモチベーションが上がらないから仕事が進まない」

このコトバだけ聞くと、まるでモチベーションは体の中から自然発生的に湧き上がってくるモノと思ってしまいます。

でも、自分でコンテンツを作るようになって、これは間違いだとわかりました。

最初からモチベーションがある状態なんてほとんどなくて、作業を始めて淡々と続けていくと、体の内から生まれてくるものなんです。

この原稿だってそうです。やる気があろうがなかろうが、体調さえ悪くないのであれば、とにかくパソコンに向かってカタカタと文章を打ち始めるのです。そうすれば、少しずつやる気が加速していきます。

最初はモタモタと歩くようにランニングしていたのが、いつの間にか風を切って走っています。ノってくると、タイピング速度が上がり、次から次へと文章が浮かぶようになります。そんな速度で書いた文章って、読み返した時に「ヘンだな？」ってならないの？……と、思われるかもしれませんが、案外読めるモノです。

書き手の疾走感が読み手にも伝わり、結果的に読みやすい文章になることが多いです。ぼくの場合ですと、一文一文がドンドン短く、テンポがよくなります。

ヘンに時間をかけて書いた文章ほど、読み心地がもったりしてて重くなることが多いです。

これまでの経験から言えることは2つ。

「モチベーションは書き始めれば勝手に上がっていく」

「細かいことは後で直せばいい。そのぐらいの意識でまず書いてしまう」

これを淡々と続けていける人が強く、コンテンツもコンスタントにリリースすることができます。

結局、モチベーションなんて不確かなものに頼らず、淡々と作業を続けていける人が強いし、結果を出しやすいです。コンテンツを多く出すということは、つまり人より多く打席に立ってバットを振ることです。

今日からあなたも、作業ができない理由をモチベーションに押し付けず、まずは作業を始めることを意識してみてください。5分も続けていれば、本当のやる気に火が点きますから。

不得意なことにリソースを割いていませんか？

1人の人間のリソース（能力や時間）は限られています。加えて誰しも、得意・不得意があります。限られた時間を有効に使うために大事なのは「不得意なことは頑張らない」ということです。

ではどうすればいいのか?

「不得意なことは外注する」ということです。

ぼくの場合ですと、Kindle本の表紙、Brainのサムネイルはほぼほぼ外注しています。つまりデザイナーさんに有償でお願いしちゃっているんです。

実は何度か自分で表紙やサムネイルを作ったこともあります。頑張ればそこそこのものが作れますが、やっぱりデザイナーさんから上がってきたものには勝てませんでした。

KindleもBrainも読まれない、売れないことには収益になりません。苦労して作ったとしても、収益ゼロという可能性もあります。

だからこそ、表紙やサムネイルを有償でお願いするのをためらう気持ちもわかります。いわば先行投資になりますからね。

それでも、苦労して作った我が子(作品)に、変な服(表紙&サムネイル)を着せて旅立たせたくない! そう思ってたとえムダになったとしても、いい服(表紙&サムネイル)を着せてあげたいと思います。

また、不得意なことを頑張ると時間もとられちゃうんですよね。

以前、「A＋（エープラス）」と呼ばれる、Kindle本の告知画像を3時間ぐらいかけて自分で作ったんですが、Twitterで懇意になったイラストレーターさんにお願いしたところ……。わずか1日で超かわいらしい、ハイクオリティな画像を3枚も作っていただきました。

こんなことなら、自分でグダグダとこねくり回す前にお願いすれば良かった……と心底思いましたね。だって3時間あれば、原稿の見直しが何回できるでしょう。新しいKindle本の原稿がどれほど進むでしょう。

自分が得意なことを頑張るほうがいいんです。そのほうが実力もついて、なにかといいことが多いです。

オールラウンダーを目指さなくたっていい

ライティングもできる、デザインもできる、動画も作れる、話も上手で通話コンサルもできる、すべてハイクオリティでできれば素晴らしいですが、なかなかそうもいきませんよね。

均等に頑張るよりは、どれか1つでいいのでハタからみて圧倒的にうまいものや優れた分野を作るほうがいいです。これは副業をやりながら気づくこともあります。

最初は、YouTubeの動画編集を頑張ろうとしたけど、まわりから評価されたのは動画の企画や内容より「サムネイル」だった。それならば、動画サムネイル専用のクリエーターとして振り切ればいいんです。

ネットを使った副業において、今後ますますサムネイルの重要性は増していきます。本で言えば表紙のようなものですからね。きっとあなたが作るサムネイルを必要とする人は現れます。

体操の世界では、内村航平選手のようなどんな種目にも強い選手は「オールラウンダー」として尊敬を集めます。でも、こと副業に限って言えば「オールラウンダー」になる必要はありません。

1つのことを極めた「スペシャリスト」を目指したほうがいいです。

例えば、「シンママの子育てと言えば○○さん」「スマホでサムネを作る人と言えば○○さん」「人を感動させ、心を動かすライティングと言えば○○さん」といった風に、あなたが○○さんになれるポジション・分野を探しましょう。

これは第2章で扱った「自分の掘り下げ」が関わってくる問題です。自分の得意技をきちんと見極めて、それに合わせた発信、コンテンツ作りを心がけてください。

……と言いつつ、実はさっき挙げた「ライティング」「デザイン」「動画編集」「通話」。このスキルの中で、あらゆることに通じる万能スキルである「ライティング」についいては、この後の第5章でしっかりご説明します。この後も読み進めていただけると嬉しいです。

サポートやモニターはしてもされてもタメになる

これは特にKindle出版をしていて思うことです。

初心者なら「出版サポート」と「モニター」を積極的に使ったほうがいいということです。

出版サポートはぼくもやっていますが、内容の相談から原稿のチェック、表紙・タイトルの相談やデザイナーの紹介、出版前後の告知のお手伝いをします。

Kindle出版は1人でもやることが可能です。以前と比べて出版に関する書籍も資料も増えました。「Kindle出版のやり方」というテーマで本を書く個人作家も多いので、検索すればかなりの量の書籍が出てきます（「Kindle出版」はそれだけ人気テーマなんですね）。

加えて、ネットで検索すれば、無料でもかなり質の高い情報が手に入ります。

じゃあ別にサポートに頼らなくてもいいじゃん。

……と思いますが、それでも手に入らない情報もあります。それが原稿チェック、表紙・タイトルの相談です。

出版サポートを手掛ける作家の多くはぼくも含めて5～20冊とかKindle本を書いてきています。その中で培った、それぞれの知識があるわけです。

ぼく自身も他の作家さんのサポートを受けたことがあります。サポートをしてくれた作家さんは、対話形式の本を書くにあたって「登場人物に動物を使う」という、ぼく1人では思いつけなかったアイディアを授けてくださいました。また違う作家さんは、本の「はじめに」の部分について「もっと共感ポイントを出したほうがいい」というアドバイスをくださいました。

どちらのアドバイスも有益で、おかげさまでこの2冊はベストセラーを獲得することができました。サポート期間はどちらも基本1カ月でしたので、なんとかサポート期間内に出版まで持っていこうと頑張りました。「締め切り」の役割も果たしてくれたんですね。この「締め切り」については、あとで詳しく書きますがとても大事なポイントです。

表紙やタイトルについても「こんな言葉はどうでしょう」「こんな言い回しはどうでしょう」と、親身になってアドバイスをくれました。サポートをお願いした時点で、すでに20冊近く出版していましたが、それでもお願いしてよかったです。後悔はまったくしていません。

ぼくの知り合いのKindle作家の中には、サポートより手厚い「コンサル」を受けた方もいます。サポートと比べると高額になりますが、1カ月間質問し放題ということで、めちゃくちゃ助かったそうです。

質問し放題というのはかなりラクなんですよ。

その人が、半年とか1年かかって体得した知識やコツを、余すところなく伝授していただけるということですから、かなりの時間短縮になります。

これは本業が忙しくて副業に割く時間が限られている方にとっては、すごく有益なんですね。自分で調べたら1時間かかったことが、TwitterのDMで質問したら、サクッと5分で解決する、なんてことが起こるからです。

ぼく自身がKindle作家なので、ついついKindle出版の例ばかりになりますが、これはYouTube動画やブログにおいても有効です。

出来上がったコンテンツを信用できる第三者に見てもらうことって大事です。メルマガ登録をうながすＬＰ（ランディングページ）などもそうですね。

例えば家族に読んでもらって「メルマガ登録する気になる？」と聞いてみてください。それであなたのLPがちゃんと訴求力があるかどうかわかります。

モニターには創作のヒントが隠れている

ここ最近、個人のKindle作家の間ではよく「モニター」を行うようになりました。要するにリリース前の原稿を第三者に読んでもらって、感想やアドバイスをもらうことです。これはかなり有効です。

……というのも、個人のKindle出版のみならず、コンテンツクリエーターは基本、自分1人でコンテンツを作ります。動画コンテンツでも同じことです。

そもそも面白いのか、わかりやすいのか、構成はおかしくないのか、すべて自分で判断しなければなりません。これが紙の本であれば、編集者の方がついて、客観的に意見をもらうことができますが、それができません。

そこで、Twitterで関係ができた作家仲間にお願いして原稿を下読みしてもらうのです。中にはツイートで「モニター募集」している方もいますので、思い切って応募してみてください。

ネタをパクるなんてことは言語道断ですが、作家1人ひとりがどんなことを考えてネタを選んでいるのか、どんな構成で話を組み立てているのかタダで学ぶことができます。

創作活動を続けていくと、DMで「モニターしていただけませんか？」という依頼も増えてきます（ぼくもここ半年ぐらいは、以前と比べてモニター依頼が増えてきました）。

よほど忙しくなければ引き受けますし、自分の考えを相手に伝えることもいい勉強になります。細かいニュアンスや、やや手厳しい内容を伝える場合には、第3章のコラムに書いた、スタンドエフエムの「限定URL」を使って、音声データで作家さんに伝えることもあります。

他の作家さんの原稿を読んでいると「このネタなら、自分はこんな切り口で書けるな」とか「こういう切り取り方があるのか、ネタを変えて自分の作品に取り入れてみよう」とか、アイディアが浮かぶこともあります。

モニターを受けると多くの場合、感謝されます。うまくヒントをもらうことができれば自分の作品にもプラスになります。モニターは双方にとっていいことしかありません。ぜひ積極的に取り入れて欲しいです。

1つだけ注意点。初心者の方がモニターさんをお願いする場合、多くても2人ぐらいまでにしておきましょう。そうしないと、いろんな人から全然違うアドバイスを受けて混乱します。いわゆる「船頭が多い」という状況です。

何冊か本やコンテンツをリリースしていくと、「取り入れる意見」「捨てる意見」をドラスティックに判断することができますが、初心者の頃はどれも正しい意見に見えるものです。

すべて取り入れてしまったら、作品がバラバラになってしまいます。特に初めてコンテンツを作ろうとしている場合は、モニターは1人でいいでしょうね。

モニターは作品をブラッシュアップする方法として、とても素晴らしいやり方だと思います。でも、同時にあなたを混乱の迷宮に誘うこともある、ということは覚えておいてください。要は使いようです、うまく使ってよりよい作品を作って欲しいと思います。

人を巻き込みコンテンツに勢いをつけよう

ここであなたに改めて欲しいと願う意識が1つあります。

「ネットを使った副業ビジネスはチーム戦である」ということです。

なにを言ってるんだ。作家、コンテンツクリエーターなんて、しょせん個人戦だろう？　そんな風に思うかもしれません。

でもこれは大きな間違いです。これが通用するのは、一握りの天才だけ。当たり前ですが、ぼくは天才じゃありません。ライティングにはそれなりに自信がありますが、ぼくより上手い人なんて、山ほどいます。

では、どうやってチーム戦にもっていくのか。

なるべく多くの人と関わって、自分の作品に巻き込むのです。ぼくが書いたKindle本の巻末には「スペシャルサンクス」のページがあります。

そこでご紹介しているのは「出版サポート」「表紙」「A＋作成」「ティザー作成（P

R動画)」「モニター協力」と、多岐にわたります。今でこそかなり減らしましたが、一番多い時で10人以上の方に、ぼくの本に関わっていただきました。

そんな風にたくさんの人を巻き込んで作るとどうなるか。**リリース時にみなさん強力な応援団になってくれるのです。**

誰だって自分が関わった作品がリリースされたら、少しは気になるものです。出版日に、「Twitterのメンションをつけてツイートすれば、みんなぼくのコンテンツを応援してくれます。

そうすることでまわりの人たちが「おや？　このコンテンツは面白いのか？」「有益なのか？」と集まってくるんです。

当然ですが、相手からギブをもらってばかりではいけません。

仲間が新しいKindle本を出版したら拡散を手伝う。本を読んで、面白いと感じたなら、しっかりとレビューを書く。もらったギブにはそれ以上の感謝を込めて、より大きなギブを返しましょう。

ぼくの場合だと、けっこう喜ばれるのが、スタンドエフエムを使った「音声レビュー」です。ようは音声で、そのコンテンツのよさについて、4～5分1人しゃべりで紹介するのです。YouTubeにも書評チャンネルがありますよね。こちらは映像もあるので編集の手間もかかりますが、スタンドエフエムは音声だけなので、話す内容さえ決めれば、10分かからずアップロードできます。

Twitterにも簡単に貼り付けられるので、こちらもメンションしてツイートすれば、とても喜んでいただけます。「感動して親子で泣きました」なんて嬉しいコメントもいただきました。

こんな風にお互いに巻き込み合いながら、認め合いながら、拡散し合いながらコンテンツを作っていくといいです。

大事なことなので繰り返しますが、自分のコンテンツだけをひたすらPRするのはNGです。ちゃんと人のコンテンツも応援できる人になりましょう。

コンテンツ作りは自動車のようなものです。**「作る」「応援する」この両輪を同時に回していかないと、前に進みません。**片輪だけだと、その場でぐるぐる回るだけで前に進みません。ムリに回し続けると、エンジンが焼き切れてしまいます。くれぐれもお互いにギブをしながら、前に進んでくださいね。

熱が冷めないうちに、商品を世に出す2つの工夫

これはKindle仲間の書籍に書いてあった話です。その方が中心になってオンライン上で出版サロンを開いていました。そこでは定期的にオンラインでミーティングをしながら、出版に向けて進行状況を報告し合うのですが……。

1年近くたっても、誰ひとりとして初稿すら出せなかったそうです。 そこで、その方が断腸の思いで、締め切りを宣言すると、メンバーから原稿が上がり始め、次々と本が出版されたそうです。

たかが締め切りと思われるかもしれませんが、Kindle出版にしてもブログにしてもYouTubeにしても、個人で勝手にやっている以上、締め切りはないですよね。極端なことを言えば「わたしは1年かけて超大作を仕上げる！」なんてことも可能です。

だからこそ、だらけようと思えば、どこまでもだらけられます。

これはぼく自身、コンテンツ作りを始めて思ったことなんですが「基本的に、人間は熱しやすく冷めやすい」ということです。

「よし！　このテーマで書こう」と思った瞬間に取り組み始めないと、高確率でそのコンテンツは作らなくなります。実はぼくも「書こう」「書こう」とグズグズしているうちに書かなくなってしまったネタが、いくつかあります。

ならばどうすればいいのか？　方法は2つあります。同時にやると効果が高いので、ぜひやって欲しいです。

ざっくばらんにまずは書ききる

「鉄は熱いうちに打て」です。

書こうと思ったら、まずなんでもいいので手をつけることです。メモにタイトル案を書く、書こうと思っている項目を書く。テーマに必要なリサーチを始める。資料になりそうな本を読む。とにかく作品に関する作業をとっとと始めてしまう。

ぼくの場合は、A4用紙に本の柱（章）になるキーワードを書いていきます。

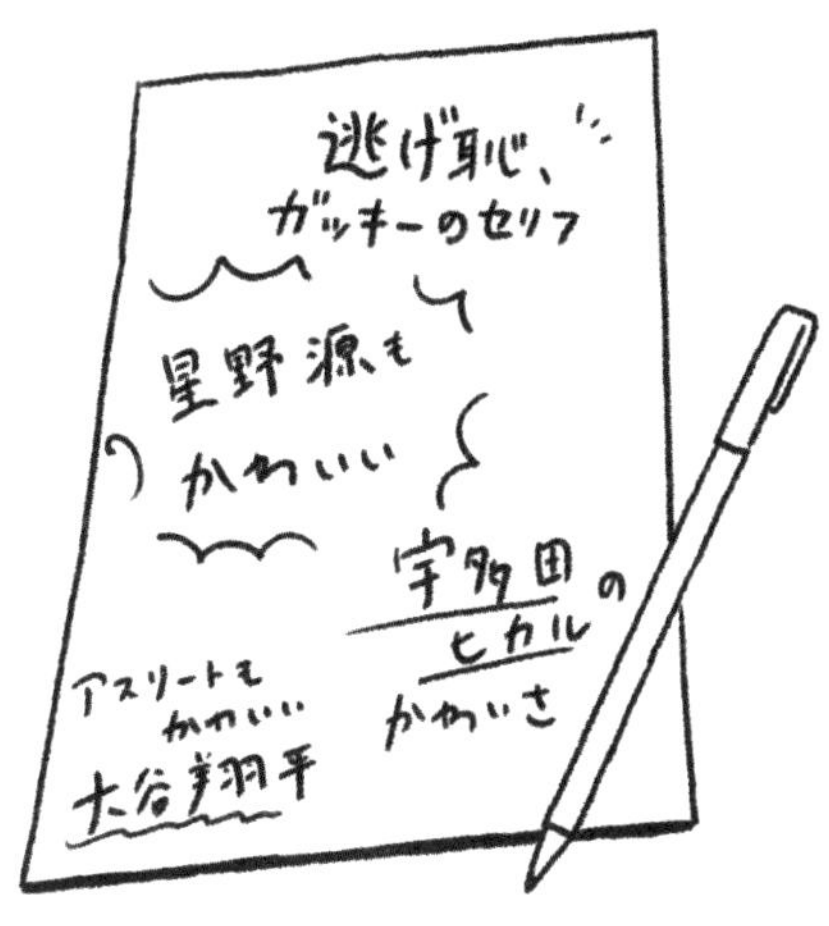

どんなコンテンツも、まずはざっくばらんに書き始めるところから。

以前、芸能人や漫画などのコンテンツを分析し、「かわいく振る舞うという処世術」をテーマにKindleを書いたことがあるのですが、書き出したものは上記のような感じです。

そして、このキーワードをもとに、目次と大まかな内容を書いていきます。

（実際に書いたラフ構成）

世界がこのセリフを聞いた時
時代の潮目は確実に変わった。

「かわいい」は最強なんです。
「かっこいい」の場合かっこ悪いところを見ると幻滅するかもしれない。

でも「かわいい」の場合はなにをしてもかわいい。「かわいい」の前では服従、全面降伏なんです！

逃げ恥でガッキーが言ったセリフ。
逃げ恥という社会現象、オンエアは2016年10月から。
実はぼくはまだ見ていない。
時代の潮目が変わったのに気づいていなかったから。

星野源のかわいさ。
映画「罪の声」、尊すぎて萌え死ぬかと思った。
特に星野源と小栗旬のシーン（あれアドリブか?）。

……この後も続きますが、すべて書くと長いのでこの辺で。
細かい流れとか、文章は考えず、まずは自分が書きたい要素を一気に書いてしまいます。

ここまで書くと、**本の読後感もちょっと想像できるので「この本いいかも」と自信を持てるし、なにより書くことへの「ワクワク感」が湧き出てきます。**その勢いのままに、第1章を書き始めればいいのです。

締め切りを声高に宣言する

熱い鉄を打ち始めることができたら、作品は少しずつ完成に向かって走り始めます。「これならどうにか書き上げられそうだな」という手応えをつかんだら、次にすべきは「締め切りを宣言する」こと。

「Twitterとかで「来月新作出しまーす」とか言っちゃって、やらざるを得ない状況に自分を追い込みましょう。Twitterネームにしちゃうのも手です。

こんな感じですね。

ミツ@2月2日Kindleデビュー作リリース予定

ミツ@毎週水曜と日曜にブログ更新します！

ミツ@来月、新動画アップしまーす！

こんな名前にしておくと、応援してくれるアカウントも現れます。日々のツイートも、リリースに合わせて期待感をあおっていくと効果的です。

Kindle出版を例にすると、

「今日は５０００字書きました。順調に書き進めています」

「デザイナーさんから表紙が上がってきました！（表紙画像を添付）」

「さきほど出版手続きをしました。自分に乾杯！」

リリースまでのプロセスを少しずつ見せることで「頑張っている感」と「有言実行感」を出していきます。基本、副業をやる人たちは、コツコツと頑張る仲間を応援してくれます。

あなたのコンテンツが完成に近づくプロセスは、ドキュメンタリーでも見せるようにTwitterで明かしていきましょう。

……とは言っても、仕事や家庭の事情、体調不良など、やむない理由で作業が間に合わないこともありますよね。そんな時は理由を書いて、素直に謝ればＯＫです。

いつでも投げ出せてしまうからこそ、見守ってもらおう。

本業のかたわら副業をしている方も多いので、そうした事情はわかってくれます。**一番カッコ悪い&みっともないのは、しれっと締め切りをやぶり続けることです。**

これをやっちゃうと「ああ、この人は宣言したことができないのか……」とアカウントの信頼を失います。

「締め切りを宣言する」と「間に合わなかったら素直に謝る」はセットで覚えておいてください。

自分ではバレていないと思っていても、まわりは意外と見ているものです。

「その気になれば、電子書籍も10日で完成する」

ウソつけお前！　そんなツッコミが読者様から聞こえてきそうですが、別に冗談で言っている訳ではありません。例えば、全10章立ての目次（ラフ構成）が完成したとします。……で、原稿を書き始める。文量は1日1000文字です。400字詰めの原稿用紙2枚半です。そこまで多い量ではありません。

これを10日続けると、1万字10章立ての原稿が完成します。そこに「はじめに」と「おわりに」を加えると、1万1000字～2000字ぐらいの原稿になります。個人のKindle本の文章量としては十分です。

あとは表紙が完成すれば、リリースすることができます。

Brainも似たような日程で作ることが可能です。ブログやYouTube動画だって1日でやり切ろうとせず、「タイトル付け」「本編作り」「サムネイル作り」「推敲」など、作業を分解してコツコツ作ればいいのです。

今日できることを、コツコツと。

「困難は分割せよ」　これはフランスの哲学者・デカルトの言葉です。

Kindle出版にせよ、ブログにせよ、YouTube動画にせよ、1日で一気に進めようとするから息切れしてイヤになります。「今日はブログ1記事の目次だけ」「今日は動画のサムネだけ」という風に少しずつ進めていくと、いつの間にかコンテンツが完成します。

大事なのは足を止めないことです。足を止めなければ、締切りに向けて着々と進んでいけます。焦らずコツコツと、これが副業を成功させる最大のカギです。

商品を増やしていくうえでの注意点

第4章ではコンテンツを作ることについて、ここまで解説してきました。いかがでしょう？　コンテンツを作れるような気になってきましたか？

「コンテンツを作る」という言葉だけを聞くと、いかにもタイヘンなことのように感じるかもしれませんが、やってみると意外とカンタンにできるものです。

最後の最後に「コンテンツを公開する」というボタンを押すのが、一番勇気がいることかもしれません。でも、それだってリリースしてみなければわからない、というのが正直なところです。

読まれるのか、見てもらえるのか、受け入れられるのか、レビューがつくのか、こんなことはいくら考え続けても答えは出ません。まずはコンテンツを作って出すことが大事です。

ここでは出していくうえで、注意すべきポイントを2つお伝えします。

後で自分の首を絞める「数の誘惑」

これは実際にぼくが見たケースです。Twitterでもつながっていた、あるブロガーさんがいらっしゃいました。その方は、これまで体験されたいろんな副業情報をKindle本にして発信されていました。

ぼくも何冊か読ませていただき、丁寧にわかりやすく書かれた内容に感心して、レビューも書かせていただきました。いい方と知り合いになれた、Kindle仲間として切磋琢磨できればいいなと思ったのです。

ところが、どこでどんなスイッチが入ったのかわからないのですが、ある時からものすごい勢いで次々と本をリリースし始めたのです。1週間に2冊とか3冊とか。「あれ？　どうしたんだろう」と思いつつも、何冊か読ませていただきました。

驚きました。びっくりするぐらい内容が薄くなっていたんです。原稿は自分が書く限り、なにを書いても自由です。それにしても内容が薄い。加えて内容も短いのです。

30〜40ページぐらいしかないのです。薄い内容であっという間に読み終わってしまう。そんな本ばかりが数十冊、その方のライブラリーに並びました。

中には読まれた本もあるようですが、多くはあっという間にランキングが下がっていき、レビューもほとんどつかず。忘れ去られていきました。その方は、いつの間にかTwitterもやめてしまい、姿を消してしまいました。

これまで20冊以上リリースしてきて思うのは、出版ペースは1〜2カ月に1冊ぐらいがいいということです。それ以上のペースで出版すると、どうしても中身のクオリティが下がります。編集者がいませんから、誤字脱字だって増えます。結果、自分の信頼を下げるクオリティの低い本を濫造することになります。

コンテンツはクリエーターにとって我が子だと伝えましたよね。1人の人間が世話をできる子供の数は限られています。1度にたくさんはムリなのです。

実はこの「ペラペラ本濫造問題」には、根深いものがあります。

というのも、こうした本というのは、作者本人が「出版停止」にしない限り、ずーっとAmazonの売り場に存在し続けます。なにかのきっかけでそんな本を手に取った読者に「個人のKindle作家が書く本はレベルが低い」と思われてしまうんです。

今Twitterでつながっているkindle作家さんの多くは、良識ある素晴らしい人たちです。書く作品だってプロ作家に決して負けないと思っています。

それでも、ごく一部のペラペラ本のせいで、一緒くたにされてしまうことがあります。これはとてもさみしく、由々しき事態なのです。

Kindle本に限らず、YouTubeだって、ブログだって数を増やせばいいってものではありません。**きちんと内容にこだわって丁寧に作りましょう。そうすることで少しずつ信頼が積み上がっていきます。**そこだけは忘れないでください。

「流行り」を取り入れる時の注意点

2022年によく目にしたテーマと言えば、「仮想通貨」「メタバース」「web3.0」あたりでしょうか。Kindleだけじゃなく、いろんなプラットフォームでも扱っている方が多かったですね。「仮想通貨ブログ」を書かれたブロガーさんも多かったのではないでしょうか。

流行り物をテーマにコンテンツを作るのは悪いことじゃありません。でも一方でライバルが多いことも事実です。

ネタが同じ場合、どうすれば自分の本が選ばれるようになるのか、強みと特徴を考えて作りましょう。例えば、仮想通貨であれば、基礎知識・買い方・稼ぎ方・オススメの取引所みたいな情報が多いですよね。

射倖心をあおる内容も多いので、逆にめちゃくちゃ失敗したとか、びっくりするぐらい稼いだけど、その後真っ青になるくらい損をした、みたいなエピソードは貴重です。あまり見かけないので、ちょっと読んでみたくなりませんか？

コンテンツをリリースする時には、ライバルの商品を分析して研究するといいです。仮想通貨の本だったら「買い方の説明わかりづらいな」とか「取引所の情報がちょっと古いな」とか「ここは図解やイラストを使った方がいいな」とか感じることがあったら、そこを補強する〝上位互換〟のコンテンツを作ると、読者に喜ばれます。

とはいえ、流行り物はライバルが多く、情報が出揃ったところで読者の興味が薄れていくことは覚悟して作った方がいいでしょう。

副業が収益以外にもたらしてくれるもの

コンテンツを作ると、ご褒美をもらえることがあります。

それがレビューです。こちらをご覧ください。


「ステキな書籍をありがとうございました！」

「自分の生き方を見直す素晴らしいキッカケになりました」

「今までまったくなかった気づきを与えてくれた本書に感謝したい」

「有益情報だけでなく、読んだ後おだやかな気持ちになれる1冊です」

「読み終わって涙が出たのは初めてです」

「いろんなことに自信をなくしていましたが、ほっこりすっきりしました！」

「本書は1人でも多くの人に読んで欲しいと思います！」

「心が温かくじんとなる1冊でした」

手前ミソでごめんなさい。これらのコメントは、ぼくがこれまで書いたKindle本にいただいたレビューの一部です。この場を借りて読者の皆さんに御礼申し上げます。

ぼくは現在、40代後半です。なんと言いますか、この年になると日常生活の中で「ほめられる」ということがめちゃくちゃ減ります。できて当たり前なことは誰もほめてくれないし、素直にほめる人もまわりから少なくなっていきます。

でもねえ、「ほめ」ってホント大事なんですよ。だってそうじゃないですか。幼い頃、お母さんにほめられたから頑張った、おばあちゃんにほめられたから頑張った、先生からほめられたから頑張った、そんなことが誰でもあるじゃないですか。

副業で成功すれば収益が上がって生活が豊かになります。これは大事なことです。でもそれだけだと、なかなか続かないこともあります。Kindle出版はわかりやすい形でレビューがもらえることで、心も豊かになります。

副業ってうまくいかないことのほうが多いです。Twitterが伸びない、コンテンツが読まれない、売れない、同時期に始めた人がどんどん先に進んで置いてけぼりをくらう、第三者から「それ意味あるの？」とか言われる。

ネット副業がつらくなったら、ユーザーの言葉を思い出そう。

始める人以上にやめていく人が多いのが副業です。

続けていくの、ツライなあ……。

そんな時にぼくが眺めるのが、先ほどあげた素晴らしいレビューの数々です。

自分のつたないコンテンツであっても、これだけ認めてほめてくれる人がいる。

自分が人生の時間を使って、やったことは決してムダじゃなかった！

　こればかりは、アフィリエイトでは得られないものです。

　レビューを書く側から、レビューを書いてもらう側へ。世界がガラッと変わります。１人でも多くの方に、この多幸感を味わって欲しいと思います。

第4章のまとめ

- うまくやるコツ、恥&失敗&呪い（思い込み）を解くのもコンテンツ
- 最初からキレイな商品を作らない、泥臭く作ろう
- 安全圏から作っても届かない、心のパンツを脱ごう
- モチベーションは手を動かせば自然と出てくる
- 器用貧乏になるな、スペシャリストを目指そう
- スタート（始める）してゴール（締め切り）を決める
- コンテンツの濫造はあなたの信用を失墜させる
- レビューの多幸感は最高の酒の肴

第5章のテーマは「ライティング」です。頭の中にある素晴らしいアイディアもノウハウも、うまくアウトプットできなければ意味がありません。読みやすさに特化したライティング術をぜひお持ち帰りください。

第5章

ライティングを制する者はネット副業を制する

どんな副業もライティングが基盤となる

Kindle、Brain、ブログ、YouTube、すべての基礎はライティングです。「なにを大げさな」なんて思うかもしれません。でもライティングは、あなたが思っている以上に重要です。

ぼくがメインにやっているKindle出版はわかりやすいですよね。コンテンツの大部分は文章、つまりライティングです。本文の他にも、タイトルだって、本の帯に入れる言葉だって、目次だって、すべてライティングありきです。

YouTubeだってそうです。サムネイルに入れる言葉、テロップでフォローする情報、動画の説明欄、これまたライティングなくしては成り立ちません。

もうちょっと踏み込むと、デザイナーさんとのやりとりにもライティングは使います。例えばKindle本の表紙や、コンテンツのサムネイルを外注する場合、どんな表紙やサムネイルにしたいのか、上がってきたデザインについて、どんな風に直して欲しいのか、説明する際に使うのもライティングです。Twitterは言うに及ばずですよね。
つまり副業とライティングは切っても切れない関係なのです。

放送作家時代に知ったキビシイ現実

ぼくは最初にお伝えした通り、元放送作家です。テレビの仕事も数多く担当しましたが、ラジオ番組にも多数関わりました。

そのうち、いくつか生放送の番組にも携わりました。生放送の番組における放送作家の大事な仕事の1つに「リスナーからのメールをさばく」があります。

ラジオ番組というのは、メッセージテーマを設けて、リスナーからメールを募ります。番組アドレス宛てに送られてくる大量のメールに目を通して、面白いものをピックアップしてパーソナリティに渡すのです。

そこで目にしたキビシイ現実……。**半数以上のメールが読みづらい**ということ。

原文のまま紹介できるメールは、ぼくの体感だと2～3割ほどです。

あとは長い文章を削ったり、「てにをは」を直したり、主語や補足を加えたり……。

なにかしら〝加工〟しないと、読めないメールが多かったのです。必然、紹介するのは、メールを書き慣れた、ヘビーリスナー、いわゆる〝常連さん〟ばかりになってしまうこともあります（あまりいいことじゃありません）。

でもこれは仕方ないことなんです。普通に生活する分には、ほとんどの人は「読みやすさ」は意識しませんから。で、社会に出てから「報告書」「議事録」「企画書」「お店のＨＰ」などを書く必要に迫られ、皆さんとまどうワケです。繰り返しますが、仕方のないことなのです。

ぼくは、たまたま放送作家という仕事について、ずっとそれを意識してきたから、出来るようになっただけなんですね。

読みやすい文章を書ける人が少ない。ということは、少しでも読みやすい文章が書けるようになれば、簡単に抜きん出ることができるということです。

前置きが長くなってしまいましたが、具体的な話に入る前に、あなたにいかにライティングが大事なのかわかっていただきたく、文章を費やしました。どうかご理解ください（一部の方には、耳が痛い話をしちゃってごめんなさいね）。

文章「圧」を調整すれば、読者は自然とついてくる

これはぼくがよく使うやり方です。グダグダと書く前に実際の文章を見ていただきましょう。

次のページの画像は、去年10月に実際にツイートした内容です。2箇所に改行を入れて文章を3ブロックに分けています。

注目していただきたいのは、一行目と二行目の文字数です。

いかがでしょう。どのブロックの文章も、一行目が二行目より〝短く〟なっていますよね。記号で表すなら、「▶▶▶」のイメージです。

理由は単純です。文章というのは、一行目が長いと、とたんに読む気が失せてしまうからです。

ぼくは「文章の圧が高い」と表現しています。

理屈としては「水は低きに流れていく」です。

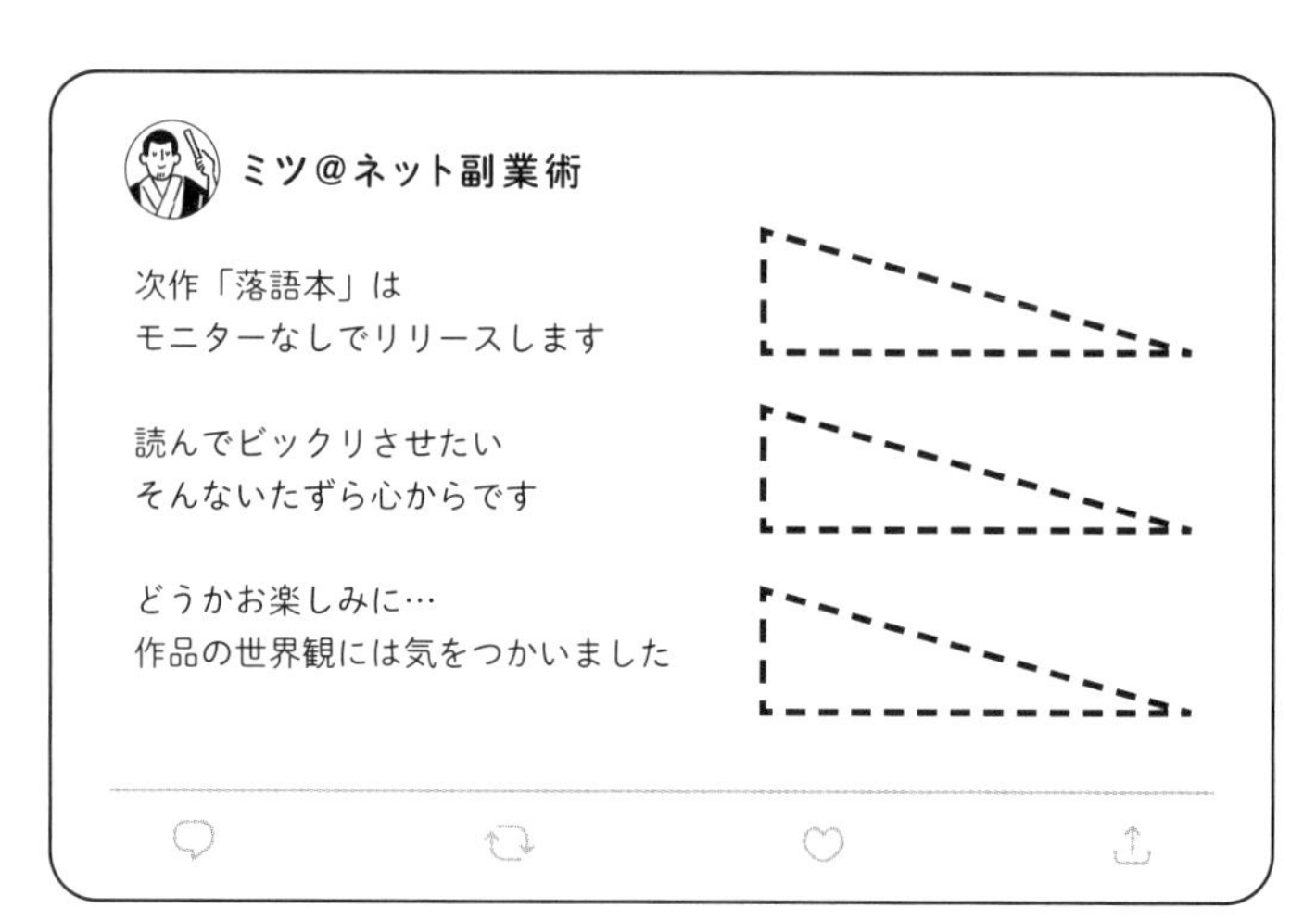

一行目の文字数を極力減らすことで、するっと二行目、三行目を読ませてしまう。横書きの文章に限った話ではありません。

例えば、こんな風に縦書きの文章にも応用できます。

いかがでしょう？
これを意識するだけでも読みやすいですよね？

読みやすさ優先で、一行目を短く、ドンドン改行していきます。もっと極端な例文も隣の図に挙げてみますね。

あっ
そう思った瞬間に、恋に落ちていた。

いたっ
心の痛みを感じるのはいつだって翌日なのだ。

うっ
言葉に詰まると、相手はニヤッと笑った。

えっ
驚くぼくに、彼女は優しく微笑んだ。

おお
思わず声が出る。そのぐらい美味しい寿司だったのだ。

いかがでしょう。一行目の〝圧〟を極限まで減らすと、そのままスルッと二行目まで読めてしまいませんか？

ここで、こんなギモンを持たれた方もいると思います。

段落はどうするの？

お答えしましょう。……使いません。

普段、ぼくはすべて横書きで原稿を書いています。その際、段落は一切使いません。話を変える時はすべて改行しています。

その上で、一行目をなるべく短くすることを意識して文章を書いています。

繰り返しますが、「▶▶▶」——このイメージです。

Kindle本もBrainも、ブログやnote記事も、YouTubeの概要欄、Twitterなど各種SNSの多くが横書きです。ぼくのまわりでネット副業をガチっている方で、律儀に段落を守って書いている方は、ごく少数です。

誤解を恐れずに言うなら、いくら行儀よく文法を守って書いたところで、読者に読まれなければ意味がないからです。

時間を使って文章を書く。時間とはつまりは「命の時間」＝「寿命」です。ライティングは文字通り、命の一部を削って行うものです。ごくごく小さいですが、一文字一文字が命の結晶と言えます。

せっかく書いた文章が読まれないのは、「命のムダづかい」。それではあまりに悲しいじゃないですか。だから、ぼくは不恰好になろうと、文法を無視しようと、読みやすく、読まれる文章を書き続けます。

※1つ注意です。この書き方は何ページにもわたって多用すると、ぱっと見が単調になってしまいます。時々は長い文章も入れてバランスを見てくださいね。

文章から読者の滑落を防ぐ「クサビ」の威力

これもぼくがよく使う方法です。

ぼくは名のある作家、クリエーターではありません。本格的にKindleなどコンテンツを作り始めた２０２１年1月頃、ネット界隈ではまったくの無名でした。

基本、読者はぼくの文章に興味がない。どうすれば読んでもらえるか、頭をめぐらせた結果、たどり着いた答えの１つです。

「で、クサビってなんぞや？」と思われたかもしれません。例えばこんな感じです。

伝説の放送作家

ぼくには、今も忘れられない偉大な先輩がいます。

正直言って最初は苦手でした。とにかく指摘が細かいんです。ある日、１日中お使いで都内を走り回され、最後にたどり着いた夜の新橋で「お前は要領が悪い」と説教をされたこともあります。

でも放送作家としては超一流でした。会議で今人気があるタレントを聞かれると「○○○○ってタレント面白いよ。この前、トーク番組で喋ってるところ見たけど、ネタもちゃんとあるし、しゃべりも上手い。今度ゲストに呼ぼうよ」みたいなことがさらっと出てくるんです。

アウトプットのスピードも早かったですね。今の流行りをすぐさま取り入れて次々と企画書を書いていました。ぼくら若手作家の仕事は、手書きで書かれた企画書をワープロで打ち直すことでした。毎日、よく書けるな〜と感心した記憶があります。

いかがでしょう。

クサビ（見出し）を入れる狙いはこうです。

「このあとしばらくはこのテーマで話が展開しますよ」

……と、あらかじめ読者にわかってもらう、ということなんですね。そうすること

読者が滑落してしまわないよう注意を払おう。

で「読者の滑落」を防ぎます。

イメージは「ハーケン」と「カラビナ」です。

これはロッククライミングに使われるものです。これがさっき見出しに使った「伝説の放送作家」にあたります。こういう見出しを、章ごとのタイトルの他にも、時々文章に打ち込んで、読者が途中で読むのをやめてしまうのを防ぎます。

「ふーん、なんか気になるタイトルだな。もうちょっと読んでみるか」

そう読者に思ってもらえたら勝ちです。

この〝もうちょっと〟をずーっと、つなげていくのです。

似たようなことをやる方はいますが、ぼ

くが書くコンテンツには、これがことさら多いのです。理由はシンプル。ぼくがまだまだ無名だからです。

一流作家や人気のコンテンツクリエーターたちは、圧倒的に文章が面白いし、信頼があります。読者の多くは黙って最後まで読みます。

でもさっきも言ったように、ぼくはまだまだ無名です。

ぼくのリアルの知り合いやSNSでつながった方を除き、多くの読者はこんな風に考えながら、この本を読んでいるんじゃないでしょうか。

「ミツ？　知らないな……。ひとつお手並み拝見といこうじゃないか。ちょっとでもつまらなくなったら、いつでも読むのをやめちゃうぞ」

無名の書き手は一行一行、「常に試されている」そう思って書かねばならない、とぼくは思っています。2021年1月からKindle出版を始めて、人より文章を書いてきました。それでもスラスラ書けるわけではありません。

一度書いては読み直して、しっくりこなかったら消して書き直す。これを何度も何度も繰り返して、少しずつ前に進めます。

すると画面がスクロールして、さっき自分が打った〝クサビ〟が画面から消えます。その途端、不安な気持ちが湧くのです。

「読者が内容を見失っていないだろうか？」

そう思ったら、多少強引であろうと、ぼくは〝クサビ〟になるタイトルを大文字で打つのです。こんな風に。

クサビで不安を打ち消す

慣れないうちは、文章のはじめの一文をそのまま大きくしてもいいでしょう。

TikTok、YouTubeのショート動画、とかく短いコンテンツがもてはやされる今の時代です。昔と比べれば、本を読む人も減っています。それでなくとも、Twitter、Instagramなど、ＳＮＳを見たいという誘惑もあるのです。

一度読み始めた読者をいかに最後まで一気に読ませるか。一気にとはいかずとも、続きが気になる地点まで導くか。それが大事なのです。

接続詞から文章を解き放つ

読みづらい文章はとにかく一文が長いです。

ぼくは文章を書く際、書き始めから「。」までの一文が1～2秒で読める長さにします。なので「だが」「しかし」「そして」「すると」などの接続詞は、なるべく使わないようにしています。

例えば、

「ぼくはラーメンが好きなのですが、それ以上に味噌ラーメンには目がなくて、気になるお店があると電車で1時間かけて通います」

この文章を一文一文、短く加工します。

「ぼくはラーメンが好きです。でもそれ以上に目がないのが味噌ラーメン！　気になるお店があると電車で1時間かけて通います」

最初に書いた文章は一文で構成されています。でも次に書いた文章は「！」を使って3ブロックに分けています。

❶ ぼくはラーメンが好きです。
❷ でもそれ以上に目がないのが味噌ラーメン！
❸ 気になるお店があると電車で1時間かけて通います。

まったく同じ内容ですが、文章が短く切れているので、スルスルと読めますよね。

読書の体感時間で一文が2秒を超えるものは長いです。一文ぐらいならいいのですが、これが積み重なると読者の中で「読むの疲れるな」という感覚になります。

「きみの文章は読みづらいな」

そんな風に言われる人は、一度自分で書いた文章を読み返してください。

文章に切れ目を入れて、一文一文を短くすればきっと読みやすくなります。それを続けていくと、だんだんとリズムがつかめます。書きながら「この一文長いな」と気づけば、切るクセがつくからです。

「ぼくたちは、もっとカタカナの力を借りていい」

多くのライティング本に書かれていることがあります。

「ひらがな、漢字、カタカナのバランスを考えて文章を書きましょう」

言うまでもないことですが、文章はぱっと見の印象がすべてです。

チラっと見た時に漢字が多いと「うっ」となります。そりゃそうです。本来、人間は文章なんて読みたくない生き物なんですから。

小さなお子さんが、YouTubeの楽しい動画に夢中になるのも道理です。

ポイントは漢字の〝圧〟を減らすこと。

そんな時、ぼくはカタカナの力を借ります。おそらく多くの人が漢字で書くことを
ぼくは〝あえて〟カタカナにします。

単体で見ると不自然に感じるかもしれません。でも漢字とひらがなを混ぜると、意外と読めるものです。隣の図はそのごく一部です。

命	イノチ	イノチを大切にしよう
形	カタチ	優しさのカタチ
絆	キズナ	親友と結んだ大事なキズナ
涙	ナミダ	思わずこぼれた彼女のナミダ
力	チカラ	チカラの限り戦う
記憶	キオク	ついに開かれたキオクの扉
言葉	コトバ	コトバの力を信じている
友達	トモダチ	君は大事なトモダチだ　etc.

ぼくはカタカナについては「ジョウシキを捨てて、スキあらば使ってやろう」と思っています。

いまも「ジョウシキ」と「スキ」を使いました。

カタカナはあなたが思っている以上に優秀で可能性を秘めた表現方法です。

「君の文章は読むのが疲れるな」なんて指摘された方は、一度文章を見直しましょう。

そのうえで、多少強引でもカタカナにできそうな言葉があったらしちゃいましょう。

使ってみると、イガイといけるモンですよ。

使い方1つで文章は変わる、半角スペースはできるヤツです

「半角スペースはできるヤツ」

このタイトルだけを読むと意味がわからないですよね。具体例をお見せしますね。

例えば、人名。ぼくはこんな風に書きます。

大谷 翔平

おわかりでしょうか。苗字（大谷）と、名前（翔平）の間に、半角スペースを打っているのです。普通は「大谷翔平」です。

ささいなことですが、結構違いませんか。並べてみましょう。

大谷 翔平

大谷翔平

あと、よく使うのは長い肩書き付きの名前です。

例えば、「東京大学付属中央病院第一外科部長山田太郎」

いかがでしょう、もはや拷問レベルで読みづらいですよね。これに半角スペースを使うと……。

「東京大学付属 中央病院 第一外科部長 山田 太郎」

東京大学の付属の後に1つ、中央病院の後に1つ、第一外科部長の後に1つ、山田の後に1つ、全部で4カ所に半角スペースを打っています。

なぜこんなことをやっていたかというと、放送作家時代、某ラジオ番組で長年健康コーナーを担当していました。毎回、病院のお医者さんがゲストで登場します。聞き手であるパーソナリティの方が、少しでも台本を読みやすいようにと考え、半角スペースを入れ始めました。

ちなみにさっきの肩書き、合わせ技で「・」を使うと、さらに読みやすくなります。

「東京大学付属 中央病院 第一外科部長・山田 太郎」

こちらが元々の表記です。

「東京大学付属中央病院第一外科部長山田太郎」

いかがでしょう。元々の表記と比べてみるとかなり読みやすくなりましたね。

全角スペースでもいいんじゃないかと思われるかもしれませんが、

「東京大学付属　中央病院　第一外科部長　山田太郎」

こんな感じになって、ぱっと見、ちょっとまぬけなんですよね。やはりぼくは半角スペースのほうがいいと思っています。

活字離れには、「ストレスフリー」で対抗する

名前と肩書き以外にも、使い道はあります。

例えば、ひらがなとひらがなの間です。例えばこういう会話とかで使えます。

「実は他のSNSでつながっていることってまあまああるじゃないですか？」

おわかりでしょうか？　「まあまあ」と「あるじゃないですか？」の間に半角スペースを打っています。これ、そのまま続けて打ってしまうと、こうなります。

「まあまああるじゃないですか？」

かなり読みづらいですよね。まあまあの最後の「あ」と、あるじゃないですかの最初の「あ」が連なってしまうと、どこで切って読めばいいのかわかりません。そこで

半角スペースを使うのです。
他に、箇条書きで使うこともあります。例えばTwitterで見かけるこんな文章です。

✓毎日コンビニ
✓帰宅してＴＶつける
✓休憩時にペットボトルのお茶を飲む
✓月に2回、友人との飲み会
✓バーゲンで買い物をする
こんな当たり前を見直していこう！

いかがでしょう。これは、「✓」と文章の間に半角スペースを打っています。
ちなみに半角スペースがないと、こんな感じになります。

✓毎日コンビニ
✓帰宅してＴＶつける

✓休憩時にペットボトルのお茶を飲む
✓月に2回、友人との飲み会
✓バーゲンで買い物をする
こんな当たり前を見直していこう!


なぜぼくが、こんなめんどくさいことをやっているのか?

文章が読まれにくい現代において、ぼくたち無名作家が気を使うべきは「文章からストレスを取り除く」ことだと思うからです。

「3つのNOT(ノット)」という言葉を聞いたことがありませんか。

❶読まない(Not Read)
❷信じない(Not Believe)
❸行動しない(Not Act)

最近では、開かない(Not Open)も加わっています。

大事なことなので繰り返しますが、**普通の読者はぼくら無名作家の文章はそもそも、開かないし、読まないし、信じないし、背中を押しても行動しない**のです。

ストレスを減らすことが、コンテンツを見てもらう最初の一歩。

だからこそ、書き手は誠心誠意、読みやすくするための工夫をする。それがライティングにおいて大事なのです。

「半角スペースを使う」なんて、小手先のテクニックに見えるかもしれませんが、そこに込められているのは「書き手の気づかい」なのです。

文章の節々に忍ばせた優しさに気づく人はいます。そこから書き手を信頼することだってあります。

内容もさることながら、こうした細やかな配慮をちりばめて、文章を書いていくといいでしょう。

深い納得はデータではなくディティールに宿る

細やかな配慮からの流れで、ここでは「思いはディティールに宿る」という話をしようと思います。

前述の通り、ぼくは自分でKindle本を書くかたわら、Kindle仲間の出版前の原稿を下読みするモニターや、有償で出版サポートもやっております。その中に、自分の人生について書かれる人もけっこういます。

皆さん、基本的にはよく書けているものが多いですが、72ページでもお伝えしたように、「もう一歩踏み込んで書けばいいのにちょっともったいない」と感じるものもあります。

「母子家庭だったけど幸せだった」ということを伝えたいならば、母との思い出を、セリフ、シチュエーションをできるだけ細かく丁寧に書くといいです。

例えばこんな感じです。

▽夜勤明けでつらいハズなのに
運動会当日、朝６時に起きて、
眠い目をこすりながら唐揚げを作ってくれた母の背中。

▽高そうなビデオカメラがずらっと並ぶ中、
小さな使い捨てカメラで
ぼくの姿を一生懸命、撮影してくれた母。

▽受験勉強をしていたら、
深夜におじやを作ってくれた母。
やけに卵がたっぷり入っていると思って、
台所を見たら、２つ分の卵の殻があった。

あなたの心に焼き付いている母の姿を、丁寧に丹念に思い出しながら書く。

母への感謝を込めて文章を綴る。これだけで作品の雰囲気はガラッと変わります。

事実、ぼくが指摘して書き直してくれたKindle作家さんもいました。

それは著者が母と食事に行った、あるラーメン屋さんでの風景でした。決して豊かな家庭じゃない。それでも束の間の贅沢、美味しそうにラーメンをすする著者を、優しいまなざしで見つめる母の笑顔……読みながら、涙がにじみました。

コンテンツというのはノウハウだけを書くものにあらず。自分を育ててくれた人への感謝を示す場でもいいのです。

その時に、気を遣うべきは、照れずに、真っ直ぐに、なにより正直に書く。

これができれば、それは思いが伝わるコンテンツになります。

変に隠したり、ごまかしたり、茶化して書いても、思いは伝わりません。

Kindle作家として、いろんな作品を読んできて思うのです。

「キズつかない、恥もかかない、怖くもない。そんな安全圏からコンテンツを作っても、人の心に届く作品にはならない」

これはつらい思い出を書く時でも同じことです。

前にも書きましたが、うつに関するコンテンツを作る時、あなたがいかにうつで苦しんだのか書く必要がありますよね。自分の苦しみをさらけ出してから「自分と同じ思いをする人を減らしたい」という流れにもっていくからです。

その時に「上司から死ぬほど怒られてうつになりました」だけだと、読者にあなたの苦しみは100分の1も伝わりません。

思い出すのもつらいかもしれませんが、上司のどんな言葉にキズつき、周囲からのどんな視線にまいったのか、その時に食べたご飯はどんな味がしたのか、みんなには青空に見える空があなたにはどんな色に見えたのか、そこまで書いてようやく、伝わるのです。腹を割って書かれた文章にはチカラがあります。半角スペースの章で書いた、信じない（Not Believe）の壁を越えることができます。

つまり、ここまでさらけ出して書く人の文章は「信じていい」と思ってもらえるからです。ぼくのまわりにいるKindle作家、コンテンツクリエーターも、優秀な人は腹を割った文章を書くのが上手です。そういう方が人気クリエーターになっていきます。

第4章でも書きましたが、あなたもディティールに思いを込めてライティングをしていってください。恥ずかしいかもしれませんが、それはきっと未来のあなたを救います。

理由は最強の「引っ張り」である

引っ張りとは、かつてぼくが身をおいたテレビ業界でよく使う言葉です。ようするに「最後まで視聴者を番組に引きつける」ということ。これをライティングに置き換えると「最後まで読者をコンテンツに引きつける」となります。この時、チカラを発揮するのが「理由」です。

例えば、次ページにあるのは実際にぼくがしたツイートです。

このツイートは、冒頭に気になる部分があります。

「ぼくには年に2回、母の日があります」という部分です。

当たり前ですが、母の日は年に1回です。

読んだ人は不思議に思うわけです。「なぜ2回なんだろう?」と。すると「理由」が知りたくなって続きを読みます。結局、最後まで読んでしまうわけです。

ミツ@ネット副業術

ぼくには年に2回、母の日があります
それが今日1月14日です

ぼくの誕生日でもあり 9年前に母が他界した日でもあります
だからぼくは母の命日を絶対に忘れません

今の"生"が母の"命"の上に成り立っていることも
絶対に忘れません。天国の母へ、ありがとう

Twitterは最大140文字しか使えません。それでもこういった引っ張りがない文章は、わずかな文字数でも最後まで読まれないのです。

実際、漢字が多くて至極当たり前のことしか書いていないツイートは、ぼくもスルーしちゃいます。

理由ってほんとに最強なんですよ。その際たるものがミステリー小説でしょうね。すぐれた作品はトリックも素晴らしいのですが、なにより「理由」が抜群です。「殺人を犯した理由」、つまり「動機」です。人が人を殺すなんてよほどのことがない限り、起こりません。

一見、善人に見える犯人、いたって常識

人に見える犯人が、なぜそうしなければならなかったのか。これは気になります。

基本、ミステリーは「理由」で最後まで読者を引っ張っていく小説です。

「なぜすぐに助けを呼ばなかったのか」

「なぜ一番近くの交番に駆け込まなかったのか」

「なぜ葬儀の席で彼は笑っていたのか」

「なぜあの日、看護師はウソをついて早退したのか」

「なぜあの時、彼は話してくれなかったのか」

「なぜあの日のパン屋さんには、アンパンが並ばなかったのか」

「なぜ今まで好物だったウナギを彼女は食べられなくなったのか」


いかがでしょう。思いつくままに書いた例題ですが、これだけでも気になりますよね。ちょっとしたブログ記事にもなりそうですし、うまく膨らませれば一冊小説が書けちゃいそうです。

あなたが思っている以上に「理由」は強いのです。強い理由を作ることができれば、多少ライティングが下手でも、多くの読者を最後まで読ませることが可能です。

理由と謎で作られた線路（物語）を、読者は物語の終着駅（ラスト）まで走っていきます。理由と謎が魅力的であればあるほど読者は途中下車（離脱）なんてできないからです。なんなら、この章で書いた〝クサビ〟すら不要になります。

そのぐらい強力なものである、ということを覚えておいてください。

さらにイメージしやすいように、いくつか例題を書いてみますね。

「ぼくが1カ月で会社をやめた理由」
「あの日、母が授業参観に遅れた理由」
「週に一度、わたしが山手線を一周する理由」
「わたしがランニングコースを変えた理由」
「結婚式前夜、わたしが式場をキャンセルした理由」

数字を加えても効果的です。

「わたしがカップラーメンをやめた3つの理由」
「わたしが弓道を愛する5つの理由」

「わたしが親戚付き合いを復活させた7つの理由」

「ぼくがメインバンクを○○銀行に変えた9つの理由」

「ぼくが早起きをやめた5つの理由」


数字の前に感情を入れてもいいですね。

「ぼくがマンション暮らしをやめた身が凍る5つの理由」

「ぼくが知識投資を始めた顔が赤くなる7つの理由」

「わたしがヴィーガンを始めた悲しい8つの理由」

「わたしがフィルムカメラを使う笑える9つの理由」

「母子家庭で育ったわたしがそれでも父を恨まないたった1つの理由」


あなた自身や身の回りにある「気になる理由」を探してみてください。上手い理由を見つけられたなら、その時点で勝ち確です。

ライティングの上達に近道はある？

このライティングの章で最後にお伝えしたいことがこれです。

Kindle作家、コンテンツクリエーターとして活動を始めて2年ちょっと、つくづく思うことです。それを改めて感じる出来事がありました。

2022年の9月、Kindle作家4人でTwitterのスペース（音声を使って会話できる機能）をやりました。その時、事前にフォロワーさんから集めた質問の中に「どうやって文章力をアップさせましたか？」という問いがあったんですね。

ぼくを含めた2人が、いい文章を書き写す「写経」をやったと答えました。

かなり前ですが、文章が上手いと言われた、ある脚本家のドラマシナリオ12本分をワープロで書き写したことがあります。

今になって思えば、この時の経験が血肉となって、ぼくの文章力を支えてくれていると感じます。

ちなみに、そのドラマは「素晴らしきかな人生」、脚本家の名前は野沢尚(ひさし)さん。残念ながらもうお亡くなりになってしまいましたが、ぼくは野沢さんの描く、愚かでも愛らしい人間の姿が大好きでした。

普通、脚本におけるト書(役者のセリフや動きを指示する文章)って簡素な文章が多いんです。「その時、彼は笑った」とか「手を伸ばして手紙をとった」とか。

でも、野沢さんの書くト書は文学的だったんですね。「鳥の視線から、ゆらゆらと舞い降りるカメラワークで」とか「痛みを堪えるような憂いを帯びた瞳で」とか。

演出の手法や、役者の演技まで克明に書かれていました。その経験があったからこそ、思いを込めた文章が書けるようになったと思っています。

あとはひたすらいい文章に触れることです。

ぼくは赤川次郎さんから始まり、ミステリーに傾倒し、横溝正史さん、島田荘司さん、綾辻行人さん、竹本健治さん、我孫子武丸さん、東野圭吾さん、さらには「水滸伝」を書かれた北方謙三さんの文章に心底シビれました。

こんな超一流に自分がなれるとはみじんも思いませんが、少しでも近づきたいと思って、日々迷いながら書き続けています。

どうかあなたも、いい文章に触れ、そして書いてください。ライティングに近道はありません。読む、書く、読む、書く、読む、書く、読む、書く。これを毎日コツコツ愚直に続けた人が強いです。

ライティングはノってくると楽しいものです。部屋の中にいながら、精神を解放しているような気分になります。自分の指先から世界が創造されていくからです。ぜひ、あなたにも体験して欲しいと思います。

第5章のまとめ

- 読みやすい文章を書けるだけで希少な存在に
- 一行目を極限まで短く、意識すべきは「三角形」
- 文章にクサビを打ち込み、読書の滑落を防ぐ
- 一文の長さは体感1～2秒で読めるのがベスト
- カタカナと半角スペースはできる子たちです
- 〝ディティール〟に神は宿り、〝理由〟に読者は引きつけられる
- ライティングに近道なし。手を動かし続けたものが勝つ

このあと変わり種コラムを1本はさみ、第6章では副業に必要なメンタル&マインドセットについて解説します。この本もいよいよ終盤戦です、どうか最後までお付き合いくださいませ。

コラム
3

実は、ネット副業にこだわらなくてもいい

さてさて、ここまでネット副業について書いてきました。きっとこんな風に思われた方もいるんじゃないでしょうか。

想像以上にタイヘンだな……。

そんなあなたにささやかながら、ぼくから提案です。タイトルにも書いた通り、ネット副業にこだわる必要はないということです。

例えば、ぼくも空いた時間やコンテンツ作りで煮詰まった時にやっている、フードデリバリーです。

ひと頃よりは稼げなくなったという声も聞こえてきますが、それでも1日集中してやれば、1万円ぐらいは稼げます。週1回の稼働であっても、月に3～4万円ぐらいであれば、ムリなく稼ぐことができるのです。

月に3～4万、余剰資金ができるのって結構大きいです。

そのまま自分のお小遣いにしてもよいですが、例えば「積み立てNISA」にまわしたっていいんです（ちなみにぼくは月に3万円、フードデリバリーで稼いだお金をそうしています）

こうしたお金以上に、ぼくが効果を感じているのが、さっきちょっと書いた「煮詰まった時」です。

これはぼくの場合ですが、Kindleの原稿やBrain教材を作っていると、どうしてもアイディアが浮かばず、いい展開、いい文章が書けず、煮詰まることがあります。

そんな時、ぼくは自転車のチカラを借ります。これはホントによくある話なんです。パソコンの前で腕を組んでうんうん唸っても出なかったアイディアが、自転車を漕ぎだして、1～2分した頃ポロっと出る……。そうすると慌てて自転車を路肩に止めて、忘れないようにスマホにメモをします。

そうしたメモがたまってKindle本やBrainコンテンツに化けたこともあります。

ぼくは脳科学の専門家でもなんでもないので、勝手な想像で書くのですが、きっと風景が動くことで、脳にいい刺激になっているんでしょうね。

部屋にこもってひたすら書いていると、風景は動きようがありません。でも自転車にまたがって風景が流れていくと、頭の中の余分な情報がキレイに洗い流されて、頭の中からキラッとアイディアが輝くのです。

そんなこともあって、ぼくはフードデリバリーもやるし、時々、趣味で茨城県土浦に出かけ、自転車で霞ケ浦を一周したりします。

これは余談ですが、今後、自転車をテーマにして1冊、Kindle本を書こうと思っています。こういう趣味だって続けていれば、コンテンツになることもあります。

少し話がそれましたが、改めてお伝えしたいのは、ネット副業にこだわる必要はないのです。フードデリバリーが肌に合って、自分自身が心底楽しいと思えるのであれば、それで構わないと思います。

こだわりは時に道を狭めます。スポーツで例えるなら、サイドバック（DF）の才能があるのに、フォワードにこだわっていたら国内止まり。日の丸を背負って世界と戦いたいなら、小さなこだわりは捨ててサイドバックで勝負すればいいんです。

どうか視野を広く「副業」という言葉をとらえてみてください。

パソコンの前で行き詰まったときは、気分転換を。

第6章

ネット副業を継続するために一番大切なこと

ノウハウよりも、結局はメンタルが支えになる

Twitter、コンテンツ作り、ライティングと今まで筆を費やしてきましたが、結局のところ、一番大事な基礎部分は「メンタル」だと思っています。

どんなに知識、経験があろうとノウハウを持っていようと文章力があろうと、メンタルが整っていないことには副業はうまくいきません。

ぼくのまわりにいる優秀なコンテンツクリエーターを見ていて感じる共通点の1つに、「淡々とやる」があります。1年間365日、世間が正月だろうが、バレンタインだろうが、GWだろうが、夏休みだろうが、ハロウィンだろうが、クリスマスだろうが、大晦日だろうが、みなさん淡々とコンテンツを積み上げています。

その姿勢からは「みんなが遊んでいる時こそ手を動かすこと」に喜びを見出しているかのようです。

不況だ、円安だ、物価が高いと世間が動揺している時ですら、SNSで発信し、な

おコンテンツを積み上げているのです。

もはや軽い変態です。そんな彼らを支えているのは、すべてメンタルなのです。

副業とは最初に書いた通り、一軒の家を建てるようなものです。

本業のように寄りかかれる会社や資本があるわけではありません。家はまっさらな土地に上物（うわもの）（建物）だけポンと置いても、風（不安、恐怖、弱気）が吹くとすぐに倒れてしまいます。基礎工事が必要なのです。メンタルはこの基礎工事に他なりません。

ここで手を抜くと、その後いくら頑張っても、途中で挫折してしまうことだってあります。

結局はメンタル。この言葉を頭に入れて、第6章を読み進めてみてください。

●「売れる」より「続ける」を目標にしたほうがいいワケ

同時期に副業を始めた人がいつの間にか消えている。

これってほんとよくあることです。ぼくはKindle出版にコミットする前はブログも書いていました。当時はTwitterを介して、何人かのブロガーさんとも仲良くなり、交流をしていました。

軸足をブログからKindleに変えて1年たった頃、ぼくはふと思い出して、かつてのブログ仲間のTwitterアカウントを覗きにいきました。

時間が止まっていました。

固定ツイートは以前と変わらず、普段のツイート頻度も恐ろしく減り、ブログ記事のアップ報告もみられなくなっていました。そのブロガーさんは、メーカーから商品提供を受けて記事を書いていた時期もありました。ブロガーとしてはぼくよりはるかに上手くいっていたのです。にもかかわらず、やめてしまったのです。

繰り返しますが、こういうことってホントによくあります。

飽きっぽい人だと、1カ月、2カ月で姿を消します。そのぐらいサイクルが早く、継続できる人はかなり少ないのです。

……ということは、**逆に言えば「続けさえすれば勝てる」**のです。

勝つという言い方は正しくないかもしれません。ライバルは勝手に減るので、自然と勝ち残っていくのです。

副業はすぐに結果が出ません。どんなにカンがいい人でも半年から1年はかかります。ぼくだってKindle作家として芽が出るまで1年以上かかりましたから。

第3章でお話しした「ラクして稼げる」と発信する人は信用できない、という話につながってきますね。

副業の第一歩は「ラクして稼げない」ということを知ることから始まる、と言っても過言ではありません。だからこそ一定期間は続ける必要があります。

その際に気をつけるべきは、やはり続けやすいジャンルを選ぶということです。ライティングが苦手なのにKindleやっても仕方がないし、動画作りに興味が薄いのに、YouTubeやっても自分がツライだけです。自分が興味を持って最低でも半年は続けられそうなものを選んでくださいね。

すべてではありませんが、趣味を延長にするとうまくいくこともあります。佐賀県で生まれた、登録者160万人を超える人気のYouTubeチャンネル「釣りよかでしょう。」もそうです。そもそもメンバーが釣りに興味がなかったら、あそこまで面白くなっていませんから。

まずは楽しく、淡々と続けられる副業を選んでくださいね。

結果を出す人は大衆に流されない

一定期間続けられない。

この大きな要因の1つが「世間に流される」ことだと思っています。

具体的にはこんな感じです。

会社の同僚から「40にもなってTwitterやってるの?」。

飲み友達から「50にもなって本なんか書いてるの?」。

事情をよく知らない人からこんな風に言われて、せっかく始めた副業をやめちゃう方も多いのではないでしょうか。

ぼくが副業をここまで続けられた要因の1つに、「世間の雑音を排除した」ということがあります。ぼくは現在1人暮らしです。友達も少ないので、さっき書いたような雑音がほぼない状態でした。だからこそ淡々と続けられたのだと思います。

会社員で家庭がある方の最大の障壁はここにあります。

ぼくのまわりで成功している人の多くは、今までの友達と縁を切ったり、一定期間距離を置いたりしています。

家庭がある方は、奥さんや旦那さんに「この1年だけは好きにやらせて欲しい」とお願いして、副業に取り組んでいます。

世間に流されるのもわかります。だってそっちの方がラクですもん。

深く考えず会社に行き、そこそこの給料と安定を享受しながら生きるほうがラクです。親友との飲み会だって楽しいですよね。ついつい誘惑に負けそうになります。

そんな時は、この言葉を思い出してください。

「大衆は常に間違う」

映画でもそうじゃないですか。乗っていた船が転覆しそうになって、大勢が逃げたエリアが浸水。主人公とヒロインが逃げたエリアだけ助かる。

大衆は常に、ラクで安心が得られそうな場所に向かいます。でも、今は状況が目まぐるしく動く「風の時代」です。

終身雇用、年功序列の給料体系、年金制度。どれもボロボロです。ぼくら世代（40代）では通用しなくなっています。

だからこそ世間の風に流されないことは強く意識したほうがいいのです。

どうしても、友達との飲み会に行きたいという方はそれでも構いません。でも、その飲み会で副業の話題をするのはやめたほうが無難です。まわりに理解ある人がいない限り、基本的に足を引っ張られます。

「眉間にシワ寄せてないで、ラクに生きようぜ〜」と誘惑してきます。

この先、本業とは別に副業で収益を得たいと考えるなら、こういう言葉が出そうな場所から距離を取るのがオススメです。

副業をガチっていれば、その先に仲間ができます。そちらでの関係を深めたほうが、その後の交友関係が確実に豊かになります。

そういうお前はどうなんだ？　……と言われそうなので、ここで告白します。

ぼくは2021年4月、ぼくのコンテンツの感想をきちんとくれない友人と縁を切りました。別に面白かったと言って欲しかったワケではないのです。つまらなかった

大衆と異なる道が、間違っているなんてことはない。

という感想でもよかったのです。でも一言もなかったのです。

悲しくて悲しくて、このまま付き合えそうもないと判断しました。

このぼくの判断を冷たいと思われる人もいるでしょう。でも、あのまま付き合っていたら、ひょっとしたらぼくは副業をやめてしまったかもしれません。

自分の人生の足は誰にも引っ張らせない、そう思ってくだした決断でした。

あなたも今一度、自分のまわりを見渡してみてください。そして付き合うべき人をきちんと見定めてください。

隣の芝生よりも、昨日の自分と比較する

ぼくはこう思うのです。


となりの芝生はどうせずーっと青い。

なので、よそ見をせずに、自分の芝生の雑草を抜いたり芝の長さを整えたりするといい。

いつの間にか自分の芝生が青くなっていた、というのが理想。


「となりの芝生はどうせ青い」

これはホントによくあります。同時期に副業を始めたのに、ドンドン差をつけられてしまって、やる気がみるみる減っていく……。副業をやめてしまう原因の多くも、

これだったりすると思っています。

ぼくにも経験あります。いい本を書いているつもりなのに、どうして読まれないのだろう？ どうして他の作家の本が人気なんだろう？

このぐらいで思考を止めればいいのですが、「読者の見る目がない！」という所までいっちゃうとアウトです。まわりと差がつくことには必ず原因があります。

ぼくの場合で言えば、「Twitter運用が甘かった」「コンテンツの軸が読者に向いておらず、自分が書きたいことを書きちらかした」、大きくこの2つです。

売れない原因は大抵自分にあります。

原因を「外」に求めた時点でおしまいなのです。

そのためには、あまりまわりを見過ぎないことが大事です。どうしたって嫉妬心が生まれます。嫉妬って自分の心を焼きますから、ダメージはそのまま自分に跳ね返ってくるんですよ。

比べるべきは「昨日の自分と、今日の自分」です。

例えば、昨日途中で投げ出したブログ記事、YouTube動画の編集、コンテンツのサムネイル作り。これらが今日1つでもできれば〝前進〟したと思いましょう。昨日より一歩成長したと思いましょう。

ブログ記事、編集、サムネイル、こうした細かいことをコツコツと積み上げられる人が結局、最後に勝ちます。

まわりにばかり気を取られてしまうと、自分がやるべきことを見失います。Instagramよさそうだな〜とか、TikTok面白そうだな〜とか、せどり稼げそうだな〜とか、浮気をした分、本来やるべきことにかける時間がガツガツ削られていくと思ったほうがいいです。まわりはまわり、自分は自分です。

短期間で出た結果は長続きしないことも多いです。どうか雑音にまどわされずにコツコツと積み上げていってください。そうすれば、自分と足並みが似たアカウントやコンテンツクリエーターも見つかります。そういう人たちと一緒にゆっくりペースを守って進めていいのです。

競い合うより切磋琢磨するほうがいい

前からのつながりで言えば、一緒に頑張る仲間ってホント大事です。

ぼくがやっているKindle出版もそうです。他にもブログ、YouTubeの世界も同じです。みんなコミットしている副業をやるもの同士でTwitterでつながって、互いのコンテンツを応援し合っています。

新しい記事、動画をアップしたらTwitterで報告し合います。それが面白ければ、感想をツイートします。

これはLINEのオープンチャットでもそうです。副業にはいろいろありますが、大体どのジャンルにも相談し合えるグループがあります。コンテンツを応援し合いながら、仲間から質問があれば、すぐに反応して答える。こういう「仲間を大事にする人」が好かれます。

だって自分が何気なく書いた質問に丁寧に答えてくれたら、その人のコンテンツを応援したくなりますよね。自分も仲間からそんな風に思ってもらうことが大事です。

これは水面下でも同じです。例えば、Twitterの DMで個別に相談を受けたら、なるべく早く丁寧に答える。

すぐに答えられない場合は、その旨を伝えたうえで「夜までには返信します」と一言入れる。こんな対応を心がけていくと、まわりから好かれます。

仲間を大事にする人、というイメージがつくと拡散してくれる人も現れます。

例えば、ぼくの場合だと、出版サポートについてほめてくれる方もいるんです。

「ミツさんのサポートとても丁寧でよかった」とか「自分1人では書けなかった、助かりました」などなど。

「ぼくのコンテンツ・コンサルはすごいですよ！」と、いくら自分で言っても伝わらないものです。大事なのは第三者の口コミ、感想だったりします。

RPGでもそうじゃないですか。勇者は「おれが勇者さまだ！」って自分では言いませんよね。

まわりの村人たちが「勇者さまは頼りになる」「勇者さまに助けてもらった」とうわさを広めることで、ゲーム内での信用が上がっていきます。これは現実世界でも同じなのです。

あなたも一緒に頑張る仲間を大切にして、副業に取り組んでみてください。副業は個人戦ではないのです、チーム戦なのです。

初心者がいる限りニーズは生まれ続ける

副業を続けていくとこんな風に思うことがあります。

「自分の知識やノウハウに価値があるんだろうか？」

これはまわりを気にしすぎると誰しも出てくる問題です。ぼくもありました。それでも、自分がだいぶ前に書いたnote記事にコメントをいただいたり、かなり前にした稚拙なツイートですら「勉強になりました！」というリプがつくことがあります。

ここからわかることは1つ。

「初心者は毎日生まれている」ってことです。

先ほど「やめていく人が多い」という話を書きました。やめる人が多い分、はじめる人も多いのです。だからこそ、あなたの知識やノウハウが無価値ということは決してないのです。

そりゃあ、インフルエンサーや知識やノウハウが豊富な強アカウントから見れば、価値は低いかもしれません。でも、昨日今日始めた初心者から見れば、あなたが持っている知識やノウハウはキラキラ輝いているのです。

だからこそ、堂々とわかりやすく情報発信をしていきましょう。

ぼくもこのことに気づくのにだいぶ遅れました。

自分の精一杯の知識やノウハウを出して、インフルエンサーに認められようと思っていた時期がありました。要するに背伸びをしていたんですね。たまたま届けばいいですが、ほとんどの場合は無視され、せっかくの努力がスカッとムダになります。

あなたはあなたが届けられる情報を丁寧に発信すればいいのです。

無理に背伸びをして専門用語を使って、小難しいコンテンツを作る必要はないのです。この本だって、そんな思いでここまで書いてきました。

目の前にいるのは副業初心者だと思って、なるべく多く例題を使いながら文章を書いてきました。

「初心者は毎日生まれる」――――。ぜひこの言葉を頭に入れて、Twitterでの発信、コンテンツの内容を考えてみてください。結局一番パイ（お客さん）が多いのは、普遍的で基礎的な情報だったりしますからね。

守破離のステップから逸脱していないか？

守破離とは？　辞書にはこう説明されています。

「剣道や茶道などで、修業における段階を示したもの」

「守」は、師や流派の教え、型、技を忠実に守り、確実に身につける段階。

「破」は、他の師や流派の教えについても考え、いいものを取り入れ、心技を発展させる段階。

「離」は、1つの流派から離れ、独自の新しいものを生み出し確立させる段階。

めっちゃ簡単に言うと、まずは人から教わったことを素直に実践するということです。これ結構できない人が多いです。かくいうぼくも、今でも時々やらかします。

「素直に実践する」という部分が大事です。

多くの人は最初の段階から、妙な〝我流〟を入れて失敗します。

かなり前、プロ野球で落合博満氏が中日の監督をしていたころ、「オレ流采配」なんて言葉が広まりました。日本シリーズで完全試合まであとアウト1つの山井投手を降板させたりしていましたよね。

あれは、もともと落合さんが超一流だからこそ通じるコトバです。

ぼくたち一般人が、いきなりオレ流、ワタシ流をやったところで、うまくいくはずがないのです。まずは人から教わったことをやって結果が出てから、少しずつ自分のこだわりとか色を入れていくといいですね。

有名な言葉があります。

「型があるから『型破り』になる。型もないのに我流でやると『型なし』になる」

Twitterでも、コンテンツ作りでも、まずは人から聞いたこと、アドバイスされたことを素直にやってみる。そうすることで、教えた相手も「この人素直だから、また教えよう」とか「面倒を見てあげよう」と思うのです。

最近うまくいかないなあ……と感じたなら、守破離の「守」というコトバを意識してTwitterやコンテンツ作りを見直してみてください。

うまくいかない理由は大抵自分で勝手に作っていることが多いですからね。それでも見えづらい時は、第三者から客観的に見てもらうといいでしょう。

最大の障壁は自分自身にある

なんか面白そうと思ったらとりあえずやってみる。

この考え方ってかなり大事です。前にも書きましたが、日本人って多くが石橋を叩いて、それでも渡るならいいですけど、壊すまで叩いて「渡らない」という人が多いです。

だからこそ、とりあえずやってみる人は〝先行者優位〟に立てます。

ぼくも大概、日本人気質なので、かなり慎重に物事を進めます。それでも2021年の自分を唯一ほめてやりたいと思うのは、とりあえずKindle出版を始めて、どうにかこうにか続けたことです。

そのおかげで、多少は先行者として恩恵を受けることができました。人より多く失敗したことで、人に教えられることも増えました。20冊以上書いたことで、ベストセラーも取ることができました。代表作と言われる本も書けたので、そうした本を読んだ読者から出版サポートを依頼されることも増えました。

すべてKindle出版をとりあえずやってみたからこそ得られた成果です。

Kindle出版に限りません。人より早くYouTubeを始めたHIKAKINさんであったり、人より早くSEOの重要性に気づいてブログを量産したマナブさんであったり、人より早くNFTの価値に気づいて第一人者になったイケダハヤトさんであったり、圧倒的な結果を出す人は、とりあえずやるスピードが爆速です。

加えて継続する力もえげつないレベルです。多少市場が揺らごうと、自分が信じた道を突き進む強さと忍耐力があります。

手近なもので始められそうなものに、noteがあります。これはメアドさえ持っていれば、アカウントを作るのは無料です。

デザイン系であれば、Canva（キャンバ）というプラットフォームも優秀です。こちらも無料で多彩な機能や画像を使うことができます。これをうまく使ってスマホ1つでサムネイルを作っている方もいらっしゃいます。

とりあえず「アカウントを作るだけなら無料」というプラットフォームはたくさんあります。Twitterだってそうですよね。

「自分には難しい」「自分には早い」「自分には合わない」「自分には必要ない」「半年後に始めよう」「自分にはムリだ」と、そう思う時もあるかもしれません。

大事なことなので繰り返しますが、

「自分の邪魔をするのは大抵自分です」

気になったものがあれば、とりあえず始めてしまう。そのぐらいのフットワークの軽さを持っておくといいです。

副業の時代と言われていますが、ウジウジと動かない人がまだまだ多いですから。その意識を持っているだけで、副業においてもかなり有利に戦えます。

実用品が芸術品に劣るなんてことはない

これは第4章でも書いたのですが、さらに踏み込んで解説します。コンテンツとは「人の悩みを解決するもの」です。それが高いレベルでできる一握りの人が、プロの漫画家や一流ミュージシャンになります。作るコンテンツにファンがつけば、唯一無二の存在になって、生活することができます。でも、ぼくらのような一般人がこれを目指すと、かなりの確率で挫折をしてしまいます。

夢を見るのは自由です。副業ではなく、趣味で小説を書く、曲を作るという人はいいでしょう。なにかのきっかけで世間から認められる可能性もゼロではありません。でも、あなたが副業でしっかりと収益を上げたいと願うなら、芸術品より人の役に立つコンテンツを作ることを心がけたほうがいいです。

例えば、小説ではなく「小説の書き方」についてコンテンツを作るとか、オリジナル曲ではなく「初心者でもわかるギターの弾き方」についてコンテンツを作るとか。

多くの人が手に取りそうな「実用品」を作って、結果を出した後で本当に自分が作りたい「芸術品」を作るという道だってあります。

芸能人だってそうですよね。女優になるために、最初はグラビアをやる、そういう方々をあなたもテレビで見てきましたよね。


一般の読者、消費者はあなたが想像している以上に、あなたに興味がありません。

これは残酷ですが真実です。どんなに声高に「この作品は素晴らしいんだぞ！」と言ったところで、ほとんど届きません。これは現実なのです。

まずそれを受け入れて「人の悩みを解決する」「人の役に立つ」、そういうコンテンツを作りましょう。

ネット副業はチーム戦である

これも大事なことなので、もう少し掘り下げましょう。

最初、ぼくはネットを使った副業は個人戦だと思っていたのです。だって、自分のチカラでコンテンツを作り、内容の面白さで読まれて売れて、結果収益が上がる。誰のチカラもいらないと思っていたんです。

でも、そうではありませんでした。

朝活を頑張る仲間、モニターをしてくれる仲間、リリース後応援してくれる仲間、つらい胸のうちを吐き出したら「大丈夫ですよ」と声をかけてくれる仲間。そして何より、ぼくのコンテンツを読んで、レビューを書いてくれる仲間。

どれが欠けても、ぼくはここまで副業を続けることはできませんでした。特に人生の貴重な時間を使って丁寧なレビューを書いてくれた人には、いくら感謝しても足りません。

ぼくはかつて放送作家でした。一時は報道ステーションも担当させてもらったこともありました。でもキャリアの最後、どんどん仕事で自信を失っていきました。責任ある立場から逃げたことだってあります。最後のほうは、まるでゴミを見るような目で見られたことだってあります。怒られてばかりで、最後は無視されました。

でも、そんなぼくに希望をくれたのがあたたかいレビューでした。

「泣きそうになりました」「あたたかい気持ちになりました」、そんな過分なコトバをかけられるたびに、泣きそうになるのはこちらでした。

だからぼくも他の方のコンテンツを読みました、レビューを書きました。そうして出来たつながりが、紙の本の出版まで連れてきてくれたと思っています。大事なことなので、何度でも繰り返します。

ネット副業は個人戦ではなく、チーム戦です。

なんか最近うまくいってないなあ、結果が出ないなあと思ったら、ワンマンプレーになっていないかご確認ください。

「いつか本業をしのいでやる」という気概を持つ

副業を「どうせ副業」という気持ちでやっていると、いつまでたってもコンテンツは完成しないし、収益も上がりません。

頭のどこかに「ラクして稼ぎたい」という思いがあると、いつまでたっても適当に取り組んでしまい、時間だけが虚しく過ぎ去っていきます。

ぼくのまわりで結果を出しているKindle作家、コンテンツクリエーターの方たちは本気で生活を変えようと思って頑張っています。

家事の合間、子供を寝かせつけた後に、スマホだけでコンテンツをコツコツ作る主婦の方もいます。フルタイム勤務なのに、毎朝4時に起きて出勤までの限られた時間を使ってKindle本の原稿を書く方もいます。

結果を出すのは、すべからくこういう方々です。適当でなくどこまでも本気なのです。まわりから支持を集めるのも「本気な人」です。

本気な人は、Twitter、LINEの返信速度でわかります。決して適当ではないリプ（コメント）を爆速で返してきます。DMで相談しても、ものすごい文量のアドバイスを驚くべき速さで返してくれるのです。

オフラインで会ったことはありません。それでも、彼らが紡ぐ言葉の1つひとつに熱を感じるのです。

わたしは本気でやっている、と。

こんな、どこの馬の骨ともわからないヤツが書いた本を、ここまで読んできたあなたは、きっと本気でやろうとしているのでしょう。どうか今の気持ちを決して忘れず、あなたの副業ロードを歩んでほしいと思います。

何事も適当だと世界は変わりません。本気でいきましょう。

第6章のまとめ

- ライバルは勝手に減る、継続こそが勝利へ道
- 大衆は常に間違う、ラクなほうに逃げない意志を持つ
- 隣の芝生を見ているヒマがあったら自分の芝生の手入れを
- 初心者は毎日生まれる、あなたを必要とする人は必ずいる
- 守破離を意識する、我流は遠回りへの第一歩
- ネット副業はラグビーのスクラムだ
- 副業という意識を消すこと

ここまでお読みいただき、ありがとうございました。

最後に、いささか暑苦しい言葉を綴りました。どうかもう数ページ、お付き合いくださいませ。

おわりに　――「考える葦」は今日も少しずつ伸びていく

「人間は考える葦である」

第1章でもお伝えした、フランスの哲学者、パスカルの言葉です。

パスカルは自身の著書の中で、「人間は自然の中では葦のように弱い存在である。しかし、人間は頭を使って考えることができる。考えることこそ人間に与えられた偉大な力である」と語っています。

その真逆の言葉が「脳死」です。

頭をまったく使わず、自分で考えず、与えられた知識やノウハウだけをただそのまま実行していく。そんな状態を指します。

守破離で言えば、最初に素直にやることは大事です。でも、自分でなにも考えずに長く続けてしまうと、これも第1章に書きましたが、次々から次へとノウハウを追い求める、ノウハウゾンビになってしまいます。

そうならないために、実践しながら自分の頭でも考えるのです。

うまくいかない理由はなにか？　読者が求めるものはなにか？　自分が提供できる知識・ノウハウ・マインドとはなにか？

生活していてギモンに思ったこと、不満に感じたサービス、もっと知りたいと思ったこと、そんな何気ないことは、すべてスマホにメモしておいてください。

改めて考えた時、それがコンテンツに化けることもあります。

最後にあなたにお伝えする「例えば」です。

去年あたりから流行り始めたTwitterの機能「スペース」。

ちょっと前に流行った音声SNS「Clubhouse（クラブハウス）」とよく似ています。

「Clubhouse（クラブハウス）」は、当初iPhoneユーザーしか使えず、しかも既存ユーザーの招待を受けないと参加できない仕様でした。しかし、Twitterスペースは全ユーザーが気軽に始めることができます。

去年の夏ごろから、インフルエンサーを皮切りに、いろんな方がスペースを開催し始めました。ぼくは勉強を兼ねて、いろんなスペースを聴いてまわりました。皆さん素晴らしい話をされていたのですが、1つ不満に思ったことがありました。

内容が凝縮されていない。

そうなんです。1~2時間聴き続けて、ようやくためになる話が数個、ポロポロと出てくる感じなのです。

その方の話を長く聴くことで、どんな思考の流れで考えているのか、なぜそういう選択をしたのか、どうして続けているのか、ということは伝わってきます。これ自体は無駄ではなく大事なことです。

それでも、あまりに長い話になると注意力が散漫になり、「一体何の話だったんだろう?」と感じることもありました。

そこでぼくは放送作家時代に培った構成力を使うことにしました。

綿密なレジュメを作ったんです。ムダな箇所を極力そぎ落とし、どこを聴いても内容がつまった展開にするよう心を砕きました。

そのレジュメをプリントアウトしてスマホで撮影、スペースの告知ページ(ツイート)画像を貼ると「こんなに準備されているんですか!」「スペースが楽しみです!」という反応をたくさんいただけました。

その結果、たくさんの人に聴いていただくことができました。

幸運なことに、スペースからKindle本を作ることにも成功しました。

やったことはシンプルです。

何が聴けるかわからないスペースの中身を透明化する。「ちゃんとした話が聴けそうだ」と思ってもらい、その期待にしっかり応える。

「不満」を見つけて「埋める」。

もう少し詳しく書くなら、「人の不満や疑問」を見つけて、「自分の得意技（構成力）**を使って埋める」ということです。**

繰り返しますが、シンプルな話です。思いつけば誰でもできる簡単なことなんです。

コロナを経て、副業に注目が集まり、始める人が増えました。ライバルは多い分、どこかに必ず「スキマ」があります。常にアンテナを張り巡らせてください。目を凝らして探してみてください。

その時、決して思考は止めないでください。

考え続けてください。

考え続けてください。

考え続けてください。

その先に、一筋の光が見えます。それを逃さずつかまえるのです。

他の人より、その〝光〟を見えやすくするために書いたのがこの本です。

できることなら、一度だけじゃなく、何度も読み返してください。副業を進めていくと理解が深まる部分もありますから。

不安ですか？　怖いですか？

大丈夫です。こんな本をここまで読んだあなたであればきっとできます。

きっと大丈夫です。

ミツ

ぼくが失敗から学んだネット副業術
Kindle、note、ブログ、SNSに効く！ 手堅く月10万稼ぐコツ

2023年 1 月31日　　初版発行

著　者……ミツ
発行者……塚田太郎
発行所……株式会社大和出版
東京都文京区音羽1-26-11　〒112-0013
電話　営業部03-5978-8121／編集部03-5978-8131
http://www.daiwashuppan.com
印刷所……誠宏印刷株式会社
製本所……株式会社積信堂
装幀者……山之口正和＋沢田幸平（OKIKATA）

ISBN978-4-8047-1894-1